Iniciación al acolchado a máquina

Iniciación al acolchado a máquina

Para principiantes y para quienes creen no poder lograrlo

Molly Hanson

PRÓLOGO DE ANGELA WALTERS

Editora: Eva Domingo

Título original: *Free-Motion Quilting for Beginners: And Those Who Think They Can't*.
Publicado por primera vez en inglés en USA en 2014 por Martingale & Company®, Bothell, WA (www.martingale-pub.com)

c/ Impresores, 20,
P. E. Prado del Espino
28660 Boadilla del Monte, Madrid
Tel.: 91 559 98 32. Fax: 91 541 02 35
E-mail: info@editorialeldrac.com
www.editorialeldrac.com

Fotografías: Brent Kane
Ilustraciones: Lisa Lauch y Rose Wright
Diseño de cubierta: José María Alcoceba
Traducción: Ana María Aznar
Revisión técnica: Laia Jordana

Esta edición se publica por acuerdo con Claudia Böhme Rights & Literary Agency, Hannover, Alemania (www.agency-boehme.com)

ISBN: 978-84-9874-536-8
Depósito legal: M-26.934-2016
Impreso en Artes Gráficas COFÁS
Impreso en España – *Printed in Spain*

Dedicatoria

A las dos personas sin cuya ayuda no habría sido posible este libro:

Mi querida abuela y amiga, Patricia Ditter, cuya experiencia, entusiasmo y disponibilidad para probar y ayudarme a redactar mis patrones fueron absolutamente indispensables. Rara vez una mujer de treinta y tantos años cuenta en un proyecto con la colaboración de su abuela de ochenta y tantos. Siempre estaré agradecida a esta experiencia tan especial y única. Gracias, abuela. Tu fe en mí ha sido como el viento que empuja mis velas.

Mi compañero desde hace más de diez años, Jeff Armstrong. Me animó a probar a acolchar cuando necesité una salida artística y una manera de demostrar mi cariño a mis sobrinos en la distancia. Siempre está dispuesto para echar una mano con entusiasmo, desde elegir telas hasta buscar agujas para máquina de buena calidad o apoyarme en épocas de crisis. Siempre creyó que podía conseguir algo con mis acolchados y he tenido mucha suerte de contar con él. Gracias, Jeff. Te quiero.

Índice

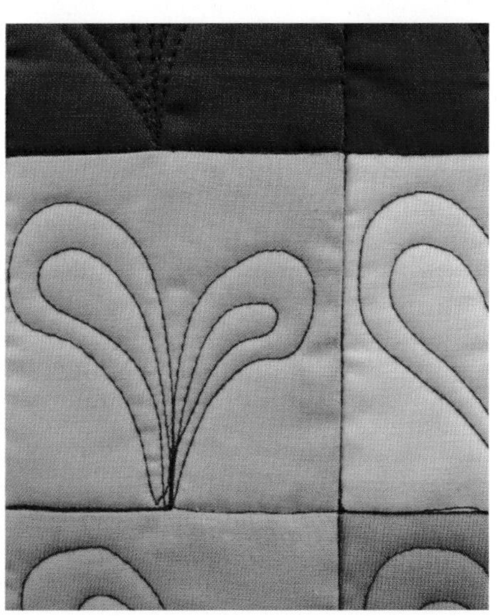

Prólogo

Acolchar a máquina es la parte más divertida de un quilt, por lo menos así lo creo. Pero aunque me encanta acolchar a máquina, también me gusta enseñar a acolchar a los demás. Creo que todo el mundo puede aprender y mejorar su acolchado a máquina, independientemente de su experiencia y de su máquina de coser. Este libro, dedicado a quienes se inician en el acolchado a máquina, es una clara demostración de que no se necesita una máquina de brazo largo para acolchar perfectamente a máquina.

Tengo la dicha de ser amiga de Molly. Posee un gran talento, es decidida, guapa y su estilo de redactar refleja perfectamente su personalidad. Las lectoras podrán realizar un recorrido, guiadas por Molly, para crear labores divertidas y aprender a acolchar a máquina. Con sus consejos prácticos y sus conocimientos, estoy segura de que no se sentirán defraudadas.

~ **Angela Walters**
Experta en acolchado, autora, amiga

Introducción

Este hobby de acolchar lo debo a mi origen humilde. Mi familia era modesta, con unos padres que valoraban las artes y lograron que mi hermano, mi hermana y yo nunca nos guiáramos por los criterios estándar de la sociedad. Mis padres también nos enseñaron a arreglarnos con lo que teníamos, a resolver nuestros problemas y a aprender por nosotros mismos lo que queríamos saber. Esta actitud la mantuve en la edad adulta y cuando empezaron a llegar mis sobrinos y sobrinas, sentí la necesidad de regalar a esos bebés algo que enriqueciera su patrimonio personal. Me pareció que las cosas hechas a mano eran lo mejor, por eso decidí aprender a confeccionar quilts. Como no disponía de mucho dinero ni de abundantes recursos, fui a un gran almacén, compré unas telas y una máquina de coser barata y empecé yo sola. No me asustaba no haber recibido nunca una clase de costura y no tenía ni idea de lo que estaba haciendo, simplemente lo hice. Abrí el manual de la máquina de coser y lo leí de principio a fin. Corté unos cuadrados de telas y cosí unos con otros. No quiero decir que esos comienzos fueran obras de arte, pero aprendí, seguí, insistí y mejoré.

Cuando me plantearon escribir este libro, una de las cuestiones que me obsesionaban era: ¿cuál será *mi mensaje*? Claro que puedo enseñar a acolchar en movimiento libre y, por supuesto, puedo explicar cómo hacer labores bonitas con piezas de tela acolchadas, pero ¿qué quiero aportar a los lectores con este libro, además de buenos consejos y unos modelos graciosos? Sin duda debía encontrar un fin más importante que cubrir las enseñanzas básicas para principiantes. Después de pensarlo durante una semana, lo vi claro y supe cuál era mi mensaje, y todo gracias a mi sobrina Ruby, de tres años. ¡Quién lo hubiera imaginado! Mi querida sobrina me pidió que le leyera un cuento. Accedí, pero como ya habíamos leído varias veces sus cuentos preferidos, insistí en que esa vez yo elegiría el libro. Repasé su librería hasta que un título y una cubierta interesantes llamaron mi atención. Era un libro titulado *The Dot* ("El punto"), de Peter H. Reynolds. No tengo hijos, pero estoy segura de que muchos de vosotros los tenéis y habréis leído antes ese cuento. Para los que no lo conocéis, os diré que es la historia de una niña que no sabe que es una artista y decide que lo mejor es no hacer siquiera el intento de dibujar.

Su profesor de arte la obliga, con delicadeza, a dibujar un solo punto en un papel y luego le pide que lo firme con su nombre. Ese sencillo acto da seguridad a la niña, que la comparte con los demás y les inspira para probar cosas nuevas. El solo hecho de firmar con su nombre era todo lo que necesitaba.

Creo que a todos se nos puede aplicar esta historia de un modo u otro. A lo mejor crees que no eres capaz de acolchar en movimiento libre y no te atreves a hacerlo. Pero si te limitas a mirar la hoja en blanco (figuradamente) y a dudar, no llegarás a ninguna parte. Aprender algo puede asustar un poco, pero los resultados siempre valen la pena. Cuando sepas acolchar una labor sin ayuda, mantendrás el control artístico desde el principio hasta el final y podrás hacer realidad tu visión de acolchado... con la práctica, claro.

Esto me lleva al punto siguiente: la práctica resulta esencial para aprender a acolchar. La memoria muscular se desarrolla practicando mucho. Los músculos saben lo que deben hacer para formar el dibujo y así el cerebro se puede concentrar en lograr que el dibujo resulte artístico. La memoria de los músculos es algo que solo se adquiere a base de repetir, no hay forma de evitar practicar durante horas para dominar el acolchado en movimiento libre.

Lo que se puede evitar es perder el tiempo siguiendo el método habitual para aprender a acolchar, que consiste en hacer cuadrados de prácticas. Os animo a no dedicar mucho tiempo a esos cuadrados. Ya sé que asusta hacer una

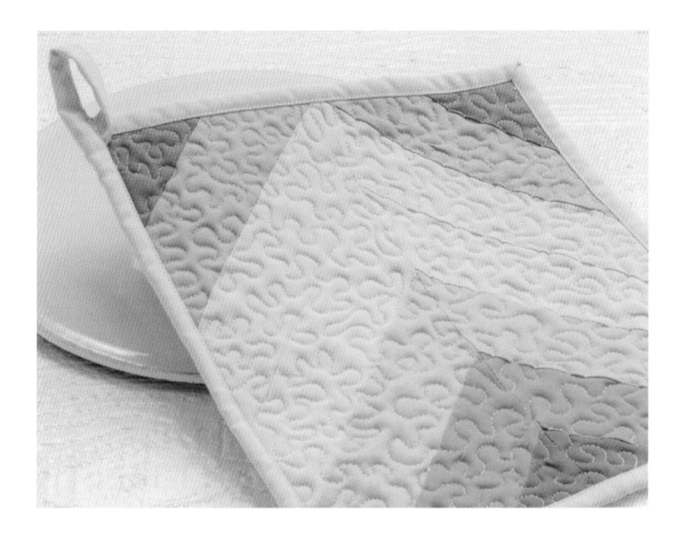

preciosa labor de cuadrados y arriesgarse a estropearla con un acolchado mediocre. Pero si deseas llegar a acolchar bien, tienes que superar esos miedos. Si solo practicas con cuadrados de tela, limitas tu experiencia a una situación perfectamente controlada. Imagina aprender a conducir sin salir de un aparcamiento. Aprenderás a aparcar como un profesional, pero habrá muchas situaciones de conducción que no probarás nunca si no sales a la carretera. Pues lo mismo sucede con el acolchado, tienes que acolchar labores reales desde el principio.

Para cada modelo de acolchado incluido en este libro he dibujado un "mapa de acolchado" para seguir el diseño del acolchado y te animo a que pruebes a acolchar las labores como yo. En el "mapa", los modelos de acolchado están dibujados en las áreas adecuadas, junto con instrucciones sobre qué acolchar primero, dónde acolchar sobre costuras y todo lo que debes tener en cuenta. Cuando realices los proyectos de este libro, confórmate con acolchados algo imperfectos y no utilices tus mejores telas. Piensa que puedes cometer errores y aprender de ellos. Es normal. Seguramente serás la única persona que note esos errores y tampoco debes esperar que tus primeras labores de patchwork sean perfectas. (¡Las mías, por lo menos, no lo fueron!). Así que relájate y pásalo bien. Te recomiendo una buena música y una actitud positiva para acolchar en movimiento libre. Respira hondo, estira los hombros y los brazos, pon tu música preferida y empieza.

Herramientas

En lo que respecta a las herramientas de costura, confieso que soy una minimalista total. No me gusta enfrentarme a muchos artilugios y no necesito las últimas y fantásticas novedades. Me limito a lo básico y solo compro herramientas, reglas o plantillas que tengan más de un uso o que sean absolutamente imprescindibles para una labor. Esta misma opinión la aplico a los materiales para acolchado en movimiento libre. Más abajo encontrarás una lista de lo que me parece esencial para acolchar libremente, seguida de otra lista de herramientas útiles (que no es lo mismo). Por favor, lee atentamente el apartado sobre herramientas útiles y pruébalas si quieres. En cuanto a las esenciales, se necesitan todas y conviene que dispongas de ellas antes de seguir leyendo este libro.

HERRAMIENTAS ESENCIALES

Prensatelas de zurcir. Es fundamental un prensatelas de zurcir con la pata abierta o cerrada. Puedes comprar los universales que se ajusten a tu máquina; los hay de muchos estilos. Yo prefiero los de metal de pata abierta. Si decides utilizar uno de plástico, te recomiendo buscar un poco en Internet, porque existen estupendos artículos sobre la manera de modificar un prensatelas de zurcir de plástico para mejorar sus prestaciones y visibilidad.

Máquina de coser limpia y engrasada, con su manual de instrucciones. Es importante saber limpiar y engrasar la máquina de coser antes de aprender a acolchar libremente. Las largas horas de costura pueden pasar factura a la máquina y un buen mantenimiento es fundamental para que trabaje con suavidad. Por la máquina pasarán metros y metros de hilo y la superficie del quilt se deslizará durante horas por la placa de agujas. Se acumulará pelusilla como nunca antes lo hayas visto. Debes aprender a solucionarlo. Te sugiero que consultes el manual de tu máquina para ver cómo se limpia y se engrasa. **Nota:** algunas máquinas modernas no requieren engrasado y no se desmontan totalmente para limpiarlas. Esto limita la vida de la máquina y el acolchado en movimiento libre puede acelerar el proceso. Mantén la máquina lo más limpia que puedas, eliminando la pelusilla de todas las zonas a las que sea posible llegar.

Mesa de prolongación o mesa abatible para acolchar. Necesitarás una superficie plana para colocar las manos cómodamente al desplazar la labor durante el acolchado. Como mínimo, es esencial contar con una mesa de prolongación en la máquina. Para más información, ver Organizar el espacio, página 11.

Herramientas para acolchado en movimiento libre.

Agujas de acolchado de buena calidad. Me gustan las agujas de sobrecargar costuras de 90/14 o 80/12 de Schmetz o de Organ, aunque las de Klassé son también buenas. Me encantan las agujas de titanio, porque son extremadamente fuertes. Mi marca favorita de agujas de titanio es Organ. Son más caras, pero las compro cuando puedo porque tienen una duración mayor. Y como las agujas sufren más con el acolchado en movimiento libre que con la costura de piezas, es importante que la aguja sea resistente. Es buena idea empezar cada proyecto de acolchado con una aguja nueva y, si se trabaja con quilts grandes, hay que acordarse de cambiar la aguja de vez en cuando, sobre todo si se oye que hace ruido al perforar la tela.

Cuaderno para bocetos y rotulador fino. Resulta fundamental dibujar los diseños para la memoria muscular y la planificación espacial que requiere el acolchado en movimiento libre. De estas herramientas se hablará más adelante en Bocetos, ver página 19, pero te aseguro que son esenciales.

HERRAMIENTAS ÚTILES

Guantes de acolchar. Estos guantes tienen una textura rugosa que ayuda a desplazar el quilt con facilidad debajo de la aguja. Estadísticamente, es muy probable que te guste trabajar con estos guantes porque el 95% de las quilters con las que he hablado no pueden pasarse sin ellos. Yo pertenezco al 5% que se siente limitada con los guantes; me gusta sentir las cosas con las manos. Como tantas quilters los utilizan, te recomiendo que los pruebes y luego decidas.

Supreme Slider. Es una lámina de superficie resbaladiza que se coloca sobre la mesa de prolongación para acolchar y que permite deslizar con facilidad el quilt. Me gusta la mía, pero no la necesito. Unas veces la utilizo y otras no. Muchas quilters no pueden pasar sin ella. Creo que vale la pena comprarla, sobre todo si se va a acolchar un quilt grande. Todo lo que ayude a desplazar un quilt grande con facilidad, vale la pena.

Supreme Slider.

Organizar el espacio

Tener un espacio organizado para acolchar libremente ayuda a acolchar más que cualquier herramienta, consejo o truco. Permite disponer de un espacio para desplazar cómodamente la labor y concentrarse en crear dibujos bonitos. Un espacio adecuado también evita dolores de espalda y de hombros, incluso de muñecas y de manos. No quiero oír quejas de jóvenes sobre este particular. Empecé a acolchar cuando tenía treinta y pocos años, que no es una edad en la que se tengan dolores y molestias. Cuando empecé no disponía de un buen espacio y lo pagué con muchos dolores. Así que hazme el favor de tener en cuenta la siguiente información. ¡Tu cuerpo lo agradecerá!

Cuando planifiques tu espacio para acolchar en movimiento libre, debes tener dos prioridades: disponer de suficiente espacio para mover libremente el quilt y poder crear tus dibujos y colocar tu silla a la altura adecuada.

ESPACIO PARA ACOLCHAR

Para el acolchado en movimiento libre se deben colocar las manos con los pulgares tocándose por delante de la aguja y las manos abiertas colocadas a ambos lados de la aguja, con la palma y los dedos apoyados. En esa posición se dispone de una buena superficie para trabajar y es fácil recolocar las manos cuando sea necesario. También permite controlar que todo discurra bien y con suavidad por debajo de los dedos y se puedan apoyar las manos para sujetar el quilt. Esto es muy importante; si no hay sitio para tener las palmas apoyadas, no se dispone de espacio para trabajar bien. La mayoría de las máquinas tiene una mesa de prolongación (ver fotografía más abajo): es un mínimo necesario para acolchar en movimiento libre con una máquina casera. La mesa de prolongación suele ofrecer espacio suficiente para mover libremente las manos.

Otra posibilidad es buscar una mesa de costura en la que se pueda encajar la máquina, de modo que su base quede a ras de la mesa. Este tipo de mueble (ver fotografía de la página 12) es ideal para acolchado en movimiento libre y es el que yo utilizo. Como esta mesa suele ser cara, antes de comprarla, conviene tener en cuenta varios factores. Después de mucho pensarlo, mi pareja Jeff y yo decidimos que era mejor hacerla nosotros a la medida que comprarla hecha. A nosotros nos resultaba más rentable y me permitió tener la que yo necesitaba. Si piensas en esta opción, consulta mi blog sobre cómo Jeff construyó mi mesa. En mi página SewWrongSewRight.blogspot.com, escribe *sewing table* en el espacio "Search this blog", en la parte de abajo de la página.

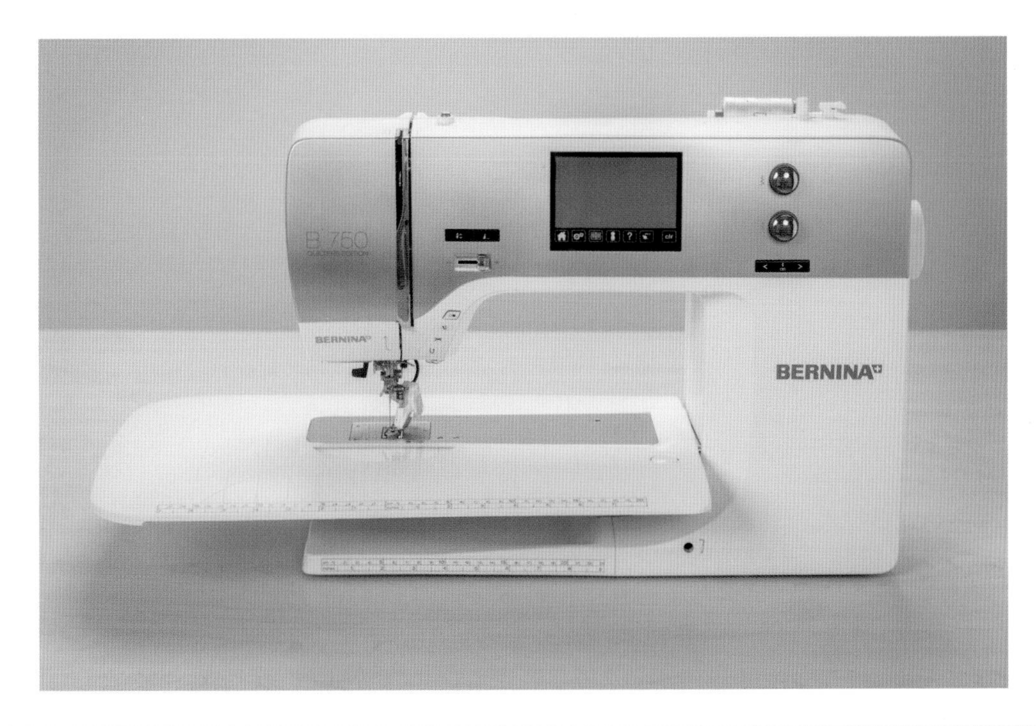

Casi todas las máquinas vienen con algún tipo de mesa de prolongación, o bien ofrecen la opción de adquirir una, como la de esta fotografía.

Con una mesa en la que se pueda encajar la máquina, la base de esta queda al mismo nivel que la superficie de la mesa, lo que la convierte en una enorme superficie de prolongación. Es un accesorio estupendo para acolchar en estilo libre.

UNA BUENA POSTURA

La segunda prioridad es situar la silla a la altura adecuada. Los codos deben formar un ángulo perfecto de 90° cuando los antebrazos y las palmas de las manos estén apoyados sobre la superficie de costura. Los hombros deben estar relajados. Pide a alguien que te observe y lo valore. Si los codos no están en ángulo de 90°, entonces notarás molestias al acolchar, lo que es perfectamente evitable. Si no dispones de una silla de despacho ajustable en altura, vale la pena que compres una si vas a acolchar mucho. La altura ajustable te permite regular la silla para que estés lo más cómoda posible.

Una vez que los codos apoyen en el ángulo correcto, debes estudiar tu pie derecho y el pedal del motor. Si no tienes los pies apoyados en el suelo, enseguida te sentirás incómoda. Debes poder controlar la velocidad de acolchado igual que controlas la velocidad al conducir. Es importante tener el pie bien apoyado en el suelo para poder presionar a fondo el pedal si fuera necesario y sin tensión. Ahora que estás bien colocada, podrás pasar horas y horas acolchando sin los dolores ni las molestias que me castigaron en mis primeros meses de acolchado.

Levanta el pedal

Si te resulta difícil llegar al pedal (quizá seas más baja que yo), los libros de cubierta dura son una estupenda superficie para elevar el pedal y que puedas llegar mejor a él. Asegúrate de que dispones de suficiente espacio en los libros para apoyar también el talón y descansar de vez en cuando.

Siéntate a la altura adecuada para que los codos formen un ángulo de 90° cuando tengas las manos apoyadas en la superficie de la mesa de prolongación.

Preparar la labor

Preparar bien el quilt u otra labor es la base de un buen acolchado. Si los márgenes de costura no están planchados debidamente, costará trabajo acolchar sobre ellos. Si el quilt no está hilvanado como es debido, surgirán muchos problemas al acolchar. Esas tareas parecen triviales, pero son necesarias. Si vas a hacer algo trivial, es mejor que lo hagas bien a la primera para que luego no tengas que lamentarte... ¿De acuerdo?

PLANCHAR

Antes de hilvanar la labor, asegúrate de que el top y la trasera estén bien planchados. Me gusta utilizar vapor con el algodón y no me limito a pasar la plancha, sino que plancho presionando. De ese modo las costuras no sufren ni se estiran y deforman los bordes al bies. También recomiendo planchar abiertas las costuras siempre que sea posible. Las intersecciones de las costuras suelen enganchar el prensatelas de zurcir y causar problemas. Me ha ocurrido más de una vez y es frustrante, además de que no queda bonito. Por eso hay que planchar esas costuras abiertas al coser las piezas, para evitar quebraderos de cabeza.

HILVANAR

Preparo los proyectos utilizando uno de tres métodos de hilvanado distintos: imperdibles, pegado con spray o con guata termoadhesiva. El método que elija depende de varios factores. Lee la información sobre cada método y opta por el que sea mejor para el quilt u otra labor que estés haciendo. Un buen hilvanado mejorará sensiblemente el aspecto del acolchado en movimiento libre, además de facilitarlo, por eso conviene que dediques un tiempo a aprender a hacerlo bien. Lo primero que debes decidir es qué tipo de guata vas a utilizar.

Opciones de guata

Actualmente existe una gran variedad de guatas, desde de poliéster hasta de bambú, lana y algodón, además de mezclas. Incluso hay guata orgánica. Y eso sin hablar de la diversidad de grosores. La elección puede ser complicada. Yo utilizo un mismo tipo de guata en todos mis proyectos porque funciona bien, lava bien, es resistente al uso, no encoge y es ligera aunque abrigada. En mi opinión es un producto perfecto, inmejorable. La guata que más me gusta es la de Fairfield, una mezcla de 80% algodón y 20% poliéster. A muchas quilters les encanta el aspecto arrugado. A mí no. No me gusta que la guata encoja porque destacan menos los dibujos del acolchado cuando la tela está fruncida. Por eso utilizo esta guata, que posee la ligereza y el tacto del algodón y no encoge. El poliéster la hace también más resistente y es una buena opción para acolchar, incluso con puntadas finas y apretadas, como las del acolchado en movimiento libre.

A la hora de elegir la guata hay que tener en cuenta varios aspectos. ¿Cómo encogerá y cómo se lava? ¿Es resistente y qué distancia de acolchado se recomienda? Algunas guatas permiten acolchados a gran escala, mientras que otras requieren costuras a distancias de no más de una o dos pulgadas. Otro factor a tener en cuenta es el grosor. A mí me gusta la guata fina, pues permite apreciar mejor el acolchado en movimiento libre. Las guatas gruesas y blandas ocultan parte del acolchado. Todos estos factores influyen en la preferencia y adecuación de la guata. Es importante elegir una adecuada y seguir fiel a ella. También se puede optar por una guata diferente para cada proyecto, asegurándose de que luego no haya sorpresas.

Hilvanado con imperdibles

Hilvanar con imperdibles es un método a prueba de error: se prende y se comprueba. Cuando empecé a acolchar en movimiento libre era el único método que utilizaba. Si vas a elegir un solo método, este es el mejor que puedas aprender. Para hilvanar con imperdibles vas a necesitar gran cantidad de imperdibles curvos, cinta adhesiva de pintor y una superficie limpia y lisa en la que pegar la trasera del quilt. En casa tengo suelos de baldosas, así que retiro la mesa de comedor y la alfombra cuando voy a hilvanar con imperdibles un quilt grande y lo hago encima de las baldosas. Si tienes el suelo con moqueta, te conviene comprar unas mesas plegables y utilizarlas como superficie de hilvanado.

1. Empezar por extender la trasera, con el revés hacia arriba, sobre una superficie lisa y limpia y alisar la tela para eliminar cualquier arruga. Sujetar la trasera sobre el suelo o la mesa con cinta de pintor, empezando en el centro de cada lado. Pasar al otro lado de la trasera, tirar con cuidado de la tela para tensarla y poner otro trozo de cinta. Pasar al centro de un lado sin pegar, tirar con cuidado de la trasera para tensarla y pegarla. Pasar al último lado, tirar con cuidado de la tela para tensarla y pegarla. Seguir así alrededor del quilt, pegando la trasera al suelo o a la mesa cada 6" a 8", pasando siempre de un lado al opuesto y tensando suavemente la trasera antes de pegarla.
2. Cuando la trasera esté sujeta uniformemente al suelo o a la mesa por todos los lados, se puede extender la guata. Sacar la guata de su envoltorio y meterla en la secadora con unos cuantos paños húmedos y unas hojas de secadora, en la posición de esponjado o de aire, durante unos 15 minutos. De este modo se reducen considerablemente las arrugas y la electricidad estática de la guata. También se puede sacar de su envoltorio la víspera y airearla para que se suavicen las arrugas.
3. Centrar la guata sobre la trasera. Empezando en el centro, alisar hacia fuera las arrugas, "adhiriendo" así la guata a la tela de la trasera, a base de golpecitos. No tener prisa y eliminar todas las marcas de dobleces, pliegues, arrugas. No tirar ni estirar la guata. Si hubiera que reajustarla, levantarla suavemente y moverla arriba y abajo para que quede lisa sobre la trasera.
4. Centrar el top del quilt planchado sobre la guata. De nuevo, alisar todas las arrugas y pliegues, tomándose un tiempo para alisar varias veces cada zona; realmente esto sirve para adherir el top a la guata. La trasera y la guata deben ser 2" mayores que el top por todas partes. Si fueran más pequeñas y se movieran las capas al acolchar, la trasera no llegaría a cubrir una parte del quilt. Más de 2" de trasera y guata que de top produciría un volumen innecesario con el que trabajar al acolchar. (Se pueden recortar la trasera y la guata una vez prendidas las capas).

Hilvanado con imperdibles.

5. Empezando en el centro, ir prendiendo los imperdibles cada 4" o menos. Poner los imperdibles por filas, trabajando desde el centro hacia fuera, primero hacia un lado y luego desde el centro hacia el otro. Prender una fila por encima del centro y luego otra por debajo. Seguir prendiendo así para que las capas queden iguales y rectas. Yo utilizo la mano para guiarme al prender; de un lado a otro de mis nudillos son como 4", lo que es una medida de espaciado perfecta.
6. Una vez cubierto el quilt de imperdibles de un lado a otro, retirar la cinta adhesiva y recortar la guata y la trasera a la medida, asegurándose de dejar 2" todo alrededor del top del quilt.

La ventaja de hilvanar con imperdibles es que no se utilizan productos químicos. Si se tiene sensibilidad a los productos químicos, se podría comprar tela, guata e hilo orgánicos y prender con imperdibles; así no hay materiales potencialmente perjudiciales. El inconveniente de hilvanar con imperdibles es la gran cantidad de tiempo que lleva, además de que se precisa una superficie dura y lisa más grande que el quilt.

Hilvanado con spray

Hilvanar con spray ahorra mucho tiempo. Mientras que en prender con imperdibles un quilt de tamaño queen size se puede tardar de dos a tres horas, yo tardo unos 45 minutos en pegar con spray ese mismo quilt. ¿Te interesa saber más? ¡Seguro que sí!

Varias empresas fabrican este pegamento en spray; el que más me gusta es el adhesivo SprayNBond, de Therm O Web, porque es inodoro y la pulverización debe ser mínima. En caso de que se aplicara en exceso, es fácil de limpiar con agua y jabón, lo que resulta una ventaja. Me gusta este método, sobre todo, para labores pequeñas.

Para usarlo, cuelgo el quilt en una pared. Primero coloco unas hojas de periódico más o menos todo alrededor de la zona donde voy a poner la trasera y así la limpieza será más fácil. Luego sujeto la trasera con el derecho contra la pared, clavando unas chinchetas cada pocas pulgadas por el borde de arriba de la tela y asegurándome de que la trasera queda lisa y bien extendida. A continuación, después de poner más periódicos en el suelo debajo de la trasera, la rocío de adhesivo siguiendo las instrucciones del fabricante.

Igual que en el hilvanado con imperdibles, meto la guata en la secadora unos 15 minutos. Cuando la trasera está ligeramente cubierta de adhesivo, saco la guata de la secadora y voy dándole golpecitos, empezando por el borde de arriba, para fijarla en su sitio. Lo bueno de SprayNBond es que permite rectificar la colocación de la guata. Yo la he colocado y despegado varias veces en una misma zona sin que perdiera adherencia. Hay que tomarse el tiempo necesario para colocar y pegar bien la guata sobre la trasera, asegurándose de que quede lisa. Una vez colocada la guata, se rocía de adhesivo y se pega el top del quilt. ¡Y ya está! Es un proceso rápido y fácil, y adictivo, a juzgar por lo que a mí me sucede.

Hilvanado con spray.

Pero el hilvanado con spray también tiene inconvenientes. Contiene productos químicos, por lo que si la labor es para un bebé o para un almohadón de cama, será preferible optar por otro método de hilvanado o lavar la labor una vez terminada para eliminar el adhesivo. Además, el adhesivo es temporal. Yo pongo una buena capa de adhesivo en las labores que me dura unos pocos días antes de perder adherencia. Por eso no suelo utilizar el spray para labores grandes: quizá no me dé tiempo a terminar de acolchar antes de que el adhesivo pierda eficacia. Pero es mi método preferido para labores pequeñas o para quilts que sé que tardaré en acolchar unos pocos días.

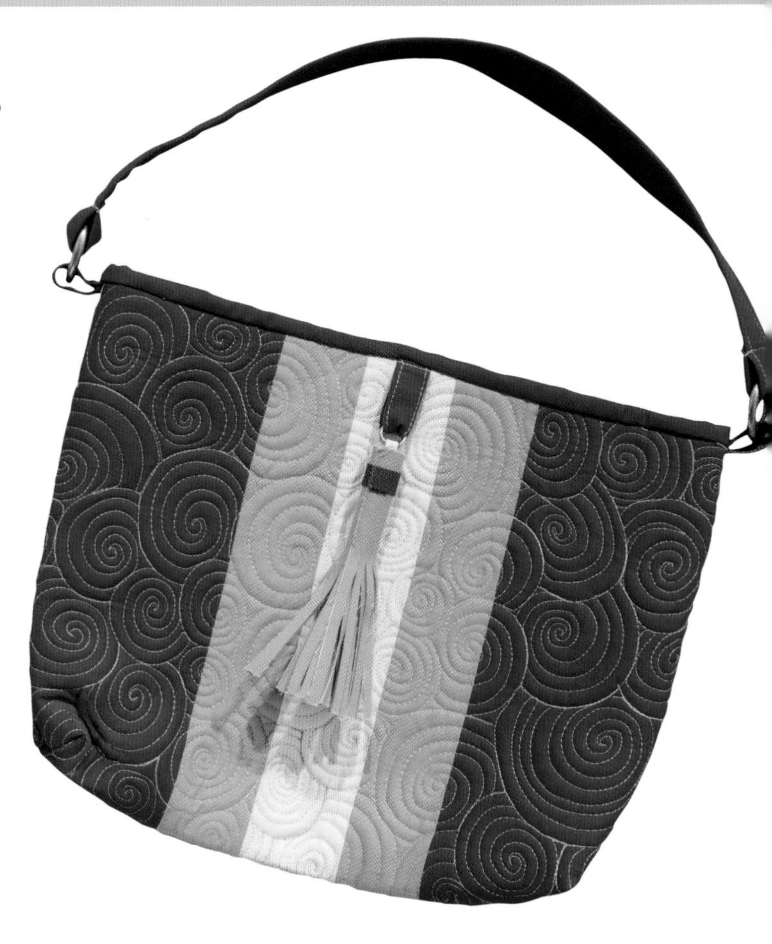

Hilvanado con guata termoadhesiva

El último método de hilvanado se hace con guata termoadhesiva. Para algunos proyectos de este libro, recomiendo encarecidamente utilizar este tipo de guata para lograr el mejor resultado. Para hacer monederos y bolsos utilizo guata termoadhesiva HeatNBond gruesa, de Therm O Web, en lugar de entretela. Me gustan los bolsos acolchados y este producto sirve para obtener un resultado acolchado y, al mismo tiempo, posee la rigidez y el cuerpo de una entretela. Es gruesa y fuerte, más parecida al fieltro que a la guata, y tiene una cara termoadhesiva. Siempre la pego a la capa exterior de la labor y luego utilizo hilvanado en spray para pegar la trasera. El inconveniente de este tipo de hilvanado es su uso limitado, a no ser que se desee un material más rígido y resistente. No es el método que utilizo en un quilt típico.

Hilvanado con guata termoadhesiva.

Hilo y tensión

Os voy a contar algo sobre el hilo que creo que resume perfectamente mi opinión al respecto. Hace tiempo, cuando yo empezaba a acolchar en movimiento libre con dedicación y esfuerzo, me rebelaba ante la idea de pagar un precio elevado por hilos de alta calidad. No me importaba utilizar conos de hilo corriente para acolchar. Aunque dejaban mucha hilacha por todas partes, costaban mucho menos que el mejor de los hilos, así que yo me creía muy lista... ¡me creía!

Pocos años después seguía acolchando con mi hilo barato, pero entonces decidí que había llegado el momento de enfrentarme al reto de hacer un quilt tamaño queen-size para mi cama. Tenía una pequeña máquina de coser doméstica con un hueco (el espacio a la derecha de la aguja) de tamaño medio. Acolchar aquel quilt era todo un reto. Pasé semanas sudando, literalmente, para acolchar el quilt. Cuando terminé, no cabía en mí de orgullo, por el hilo barato y todo lo demás. No podía esperar a extenderlo sobre nuestra cama. Al cabo de un año de estar sobre la cama, el hilo se desintegró y no exagero. Fue la mayor tragedia que he conocido en mis años de quilter. Mi precioso quilt, al que había dedicado horas y horas de acolchado en movimiento libre, se deshacía ante mis ojos.

Y lo peor de todo es que la diferencia de coste entre el hilo de calidad y el que yo había utilizado habría sido de unos diez dólares. Nada más. Me podía haber ahorrado el disgusto y poseer un maravilloso quilt que pasaría a formar parte del patrimonio familiar, en lugar de esa dolorosa lección. No te cierres como yo. Aprende a saber dónde gastar dinero y dónde ahorrar al hacer un quilt. No escatimes en el hilo para acolchar en movimiento libre.

HILO DE CALIDAD

¿Qué es lo que hace que un hilo sea bueno para acolchar en movimiento libre? Un hilo de buena calidad para acolchar a máquina está diseñado para su uso a gran velocidad y para resistir las tensiones del acolchado en movimiento libre. Las tensiones incluyen lo mucho que hay que estirar al desplazar el quilt continuamente y la de veces que se pasa sobre las líneas de acolchado, lo que puede partir y deshacer un hilo de mala calidad. Existen muchas opciones de hilos y no hay que limitarse a los

especificados para acolchar a máquina. Un buen hilo de bordar también está pensado para su uso a alta velocidad y para resistir muchas pasadas sobre él y a mí me ha dado muy buen resultado en el acolchado en movimiento libre.

Cuando empieces a acolchar en movimiento libre, te recomiendo que elijas una marca de hilo que ofrezca una amplia gama de colores y que sea de reconocida calidad. Una vez la hayas elegido, sé fiel a ella. De ese modo podrás saber qué tensión seleccionar en la máquina para ese hilo y mantener siempre la misma. Ahorrarás preocupaciones y el acolchado será menos problemático. Hay dos marcas que he utilizado mucho y que me gustan de verdad: Isacord y Aurifil. Isacord es un hilo de bordar de poliéster de grosor 40. Se presenta en una gran variedad de colores y se comporta muy bien en el acolchado en movimiento libre. Tiene una buena relación calidad-precio y es estupendo para principiantes. Aurifil es mi hilatura preferida, sobre todo me gusta su hilo de algodón Mako de grosor 40. Se presenta en una gran variedad de colores y es de la mejor calidad.

TENSIÓN

La tensión es un aspecto fundamental en la preparación del acolchado en movimiento libre. Hay que fijar en la máquina la tensión que ofrezca las mejores puntadas de acolchado con el mínimo de frustración. Una mala tensión da lugar a muchos problemas, como enredos en el frente o en la trasera del quilt, hilos que se parten y puntadas flojas como presillas que habrá que descoser... en definitiva, dolores de cabeza. Es mucho mejor ajustar la tensión desde el principio. Es muy fácil saber si la tensión es la adecuada haciendo una prueba en un "sándwich" de telas con los dientes de arrastre bajados. Hacer una costura en línea recta y otra formando ondas y parar para observar bien las costuras. Si la tensión es la correcta, todas las puntadas quedarán hundidas en el centro (estarán igual de hundidas en el frente y en la trasera) y no se verá sobresalir por el frente ningún hilo de la canilla formando presillitas ni se verá ningún hilo en la superficie de la tela en lugar de quedar hundido en la capa de guata, como debiera. Si la tensión no está perfectamente equilibrada, hay que realizar los ajustes pertinentes. Ya sé que la perfección puede ser agotadora, pero te voy a decir que no es algo opcional. Hazlo bien, luego me lo agradecerás.

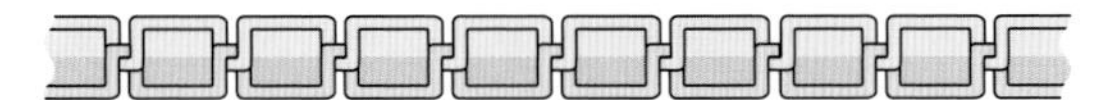

Tensión perfecta

Tensión demasiado floja. Si el hilo de la canilla queda tenso sobre la trasera del quilt o se hunde poco, sin llegar al centro de la guata, significa que la tensión es demasiado floja. Ajustarla seleccionando un número más alto. Seguir cosiendo muestras y comprobando la tensión hasta que todas las puntadas se unan en el centro de la guata.

Tensión demasiado fuerte. Si el hilo de la canilla asoma por la capa del frente es porque la tensión resulta demasiado fuerte y hay que utilizar un número más bajo. Este problema es el más frecuente de los dos, porque la tensión típica de una máquina de coser se debe aflojar un poco para acolchar en movimiento libre.

Para facilitar la comprobación de la tensión, utilizar un hilo de color diferente, pero de la misma marca y grosor, en la canilla y en la aguja de la máquina. Así se ve bien si el hilo de la canilla asoma por el top. Una vez regulada perfectamente la tensión, pensar en emplear un marcador permanente para marcar el número en la máquina de coser; de ese modo se sabrá siempre dónde fijar el selector al ir a acolchar. Si se elige siempre la misma marca y grosor de hilo, ya no habrá que preocuparse por la tensión; pero si se utiliza otro grosor u otra marca, habrá que realizar nuevas pruebas de tensión. Recomiendo emplear siempre el mismo hilo en la canilla y en la aguja. Si se utilizan distintos colores o, peor aún, distinta marca o distinto grosor de hilo, seguramente surgirán problemas. Una vez determinada la tensión para acolchar, puedes relajarte y tener la tranquilidad de que no se producirá uno de los problemas más habituales entre las quilters principiantes.

Muestra para comprobar la tensión

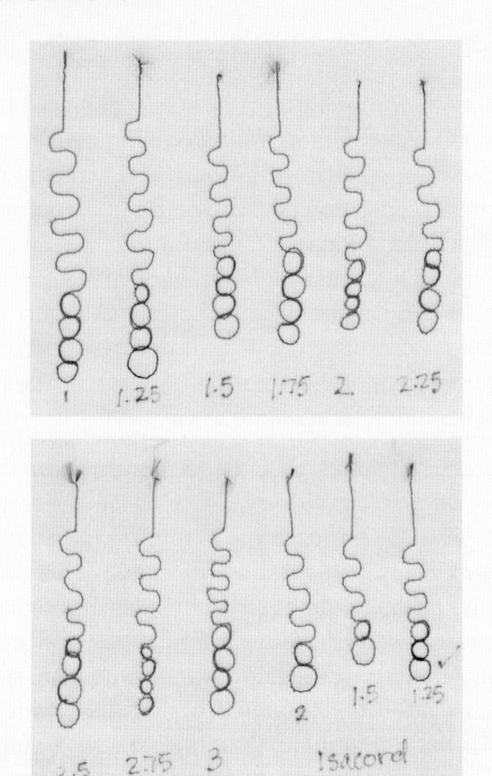

Con hilo Isacord, azul marino en el top y rojo en la canilla, pude identificar fácilmente los hilos de arriba y de abajo en la muestra de tensión. Para este hilo, una tensión muy baja, de 1,25 dio el mejor resultado en mi máquina.

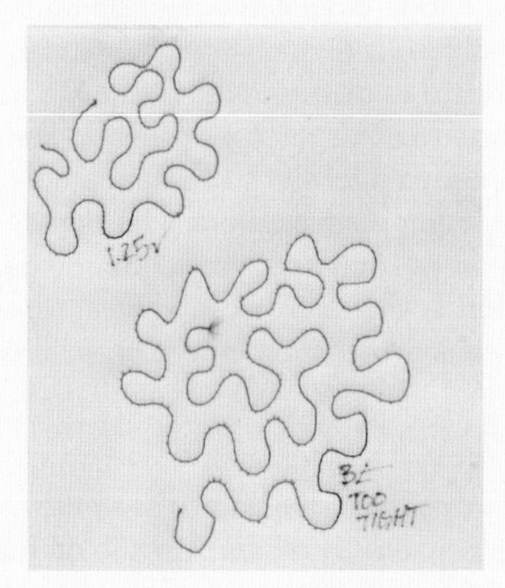

Cuando la tensión está fijada correctamente, el hilo rojo de abajo no asoma mucho por arriba y no se tira de él en las curvas. Si la tensión es excesivamente alta, el hilo rojo de la canilla tira en las esquinas y el hilo azul marino queda tenso sobre la superficie en lugar de hundirse en la tela.

Bocetos

Si yo tuviera un secreto que pudiera convertirte en mejor quilter en un instante, ¿querrías conocerlo? Si te garantizara el éxito, ¿utilizarías esa técnica definitivamente? Creo que sí.

La mejor manera de mejorar rápidamente en el acolchado en movimiento libre es pasar cualquier rato del que se disponga probando los dibujos que se quieren aprender. Tengo cajas llenas de hojas sueltas con bocetos, cuadernos y todo lo que cae entre mis manos, repletos de dibujos de acolchado en movimiento libre. ¡Cuantos más, mejor! Cuando dibujas un diseño en forma de línea continua (sin levantar el lápiz del papel) estás haciendo dos cosas fundamentales a la hora de coser ese diseño. Lo primero que haces es ejercitar la memoria muscular de ese dibujo: cuanto más trabajen juntas las manos y el cerebro para crear el diseño con la idea de mantener una línea continua, más natural se hace y al final ni siquiera hay que pensar en ello. Se pueden hacer meandros, redondeles o remolinos con toda facilidad. Se tarda en llegar a ello; por eso, si solo se practica con el acolchado, se necesitan toneladas de tela, guata e hilo para ganar experiencia. ¡Ese es el motivo de la gran importancia que tiene dibujar!

Lo segundo que se aprende con los bocetos es a organizar espacialmente el diseño, es decir, a rellenar el espacio, a mantener un tamaño y unas proporciones constantes, a cambiar la escala y mantenerla constante, a combinar dibujos, etc. De nuevo, estas lecciones son muy valiosas y se tardaría más en aprenderlas bien si solamente se practicaran con la máquina de coser.

Pensemos en un artista; tomemos el ejemplo de un pintor. Seguramente, cuando aprendió a pintar, le enseñaron a realizar bocetos y a planificar sus cuadros, en lugar de precipitarse sobre el lienzo y llenarlo de pintura. Lo mismo se puede aplicar al acolchado en movimiento libre. Una cuidada planificación y la decisión de qué dibujos aplicar y dónde, permite lograr un acolchado personalizado de profesional, cualquiera que sea el nivel de conocimientos. Y dibujando los bloques o diseños de acolchado y haciendo un boceto de distintas variaciones del dibujo de acolchado encima de ellos, se logra la mayor belleza con los dibujos y con los conocimientos que se tienen.

En esta selección de mis cuadernos de bocetos se puede ver cómo combino dibujos en papel antes de pasarlos a un acolchado sobre tela.

Recomiendo hacer los bocetos con un rotulador fino de tinta permanente. De ese modo, no se borran las líneas. Lo mismo que no se quiere perder tiempo descosiendo puntadas cuando se aprende a acolchar en movimiento libre, tampoco es productivo borrar los bocetos. No se trata de alcanzar la perfección; se trata de desarrollar la memoria muscular y la planificación espacial. Si tienes esto en cuenta y te relajas y disfrutas acolchando (y dibujando), no te asustará la creatividad.

Estos son unos ejemplos de mi cuaderno de bocetos que te darán idea de lo que se obtiene combinando diseños y jugando con las proporciones.

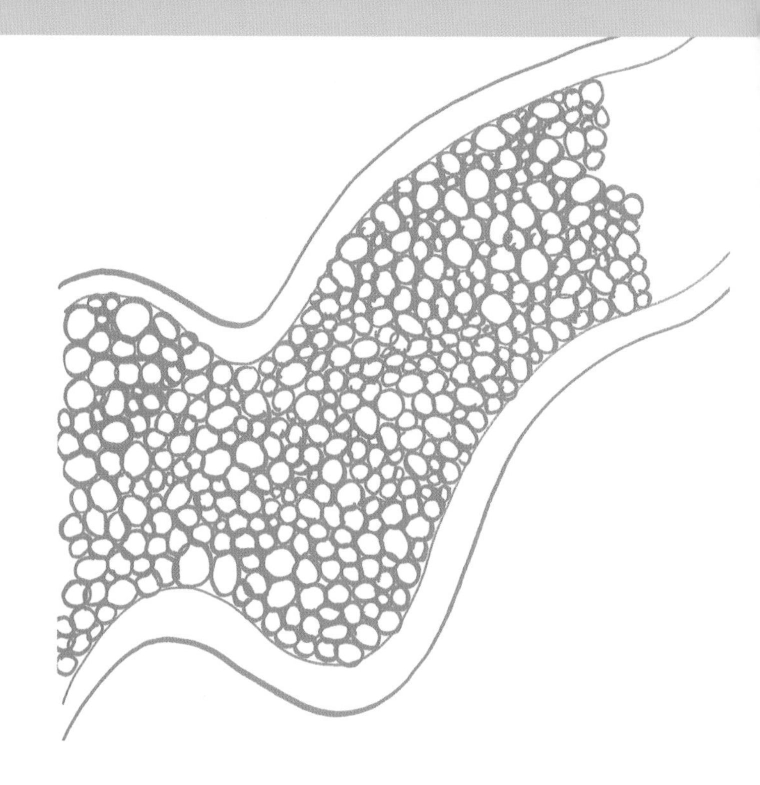

Cinco pasos de preparación para acolchar en movimiento libre

En el acolchado en movimiento libre, la clave está en la repetición, sobre todo en lo que respecta a poner el mismo prensatelas o a bajar los dientes de arrastre. Aunque esos pasos tan sencillos pueden parecer evidentes, te sorprenderá la cantidad de veces que me entusiasmaba tanto al empezar a acolchar que se me olvidaba ajustar la tensión o bajar los dientes de arrastre y daba unas puntadas muy feas. A veces me doy cuenta enseguida de mi error, pero hubo una vez, cuando acolchaba mi primer bloque de paper-pieced (un círculo de El vuelo de la oca), que en mi prisa por empezar se me olvidó bajar los dientes de arrastre. Estaba formando guijarros muy pequeños y no me di cuenta del error hasta tenerlo casi terminado; la trasera quedó de todo, menos bonita. Por suerte estaba haciendo un almohadón, así que el dorso no se iba a ver, pero si hubiera sido un quilt, seguro que tendría que haber descosido miles de puntadas. ¡Un desastre!

Por eso conviene repetir el lema y recordar ejecutar estos cinco pasos cada vez:

1. **Limpiar y engrasar la máquina.** Comprobar la aguja y cambiarla si fuera necesario. Ya sé que no es divertido, pero la máquina de coser es tu compañera en esta aventura del acolchado en movimiento libre y para que funcione perfectamente necesita un mantenimiento regular. Cuando hago acolchado en movimiento libre, siempre limpio y engraso la máquina cada dos cambios de canilla. Aunque es un fastidio cuando quiero terminar una labor, ese mantenimiento cada dos canillas ha evitado tener que llevar la máquina al taller y eso que en los últimos cinco años he acolchado mucho y cosido infinidad de piezas de patchwork. Al cabo de cinco años, ¡mi máquina sigue funcionando como cuando la compré! Si lo pienso, veo que todas las limpiezas y engrasados han valido la pena.

   Nota: no todas las máquinas necesitan engrasado ni hay que desmontarlas para limpiarlas. Consultar el manual del fabricante para mayor seguridad y, cualquiera que sea el tipo de máquina, mantén siempre libre de hilos la zona de la canilla limpiándola con un pincel de nailon.

Asegúrate de retirar la tapa de la placa y de limpiar la máquina de pelusilla.

2. **Devanar unas cuantas canillas** (dependiendo del tamaño de la labor) y enhebrar la máquina con hilo de acolchar a máquina de buena calidad. Utilizar un hilo coordinado en la canilla.
3. **Bajar los dientes de arrastre.** Los dientes de arrastre son esas barritas en dientes de sierra que suben y bajan debajo de la placa de aguja. Ayudan a guiar la tela hacia delante al coser. Cuando se acolcha en movimiento libre, hay que bajar los dientes de arrastre para poder controlar todo el movimiento de la tela. La mayoría de las máquinas tienen un botón o una palanca que baja los dientes de arrastre; consultar el manual para mayor seguridad. Si se prevé utilizar una Supreme Slider (ver página 10), es el momento de colocarla.

   Si la máquina no permite bajar los dientes de arrastre, ¡no hay problema! Se puede acolchar en movimiento libre. Cuando no se pueden bajar esos dientes, la máquina lleva una placa que los tapa. Consultar el manual para comprobar si la máquina cuenta con esa placa. Si no es así, se puede consultar la lista de accesorios para ver si se puede comprar. También se puede utilizar un trozo de cartón o una tarjeta de visita para tapar los dientes. Hacerle un agujero en el centro para que pase por él la aguja. Alinear la tarjeta con la aguja para que esta no toque los bordes del agujero y pegar la tarjeta con cinta adhesiva encima de los dientes de arrastre. En este caso, recomiendo utilizar una Supreme Slider con la que cubrir la tarjeta para disponer de una superficie de trabajo lisa y deslizante. La tarjeta termina por desgastarse con el roce de los dientes de arrastre. Comprobarla cada vez que se cambie la canilla y sustituirla si hiciera falta.

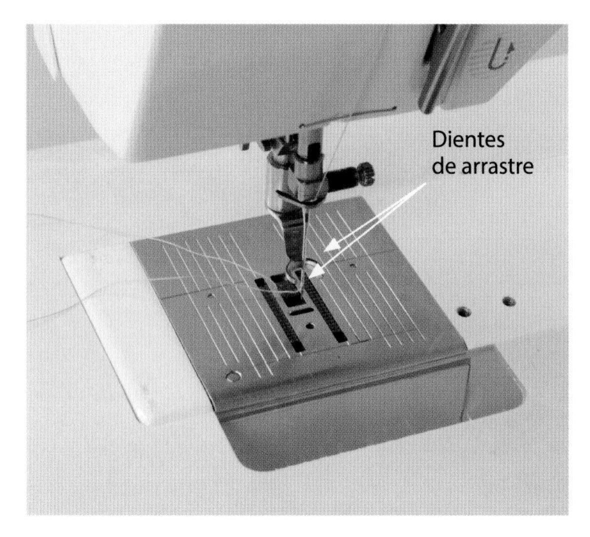

Bajar los dientes de arrastre para controlar el movimiento de la tela.

4. **Cambiar el prensatelas normal** por otro de zurcir de pata abierta o cerrada ¡y ya casi se puede empezar! No olvidar ponerse los guantes de acolchar si se utilizan.

Dónde empezar

En dibujos de acolchado como meandros, guijarros y remolinos, aconsejo empezar en el centro del cuadrado de prácticas de la labor. Para acolchar un dibujo de borde a borde, como vetas de madera, bucles, letras, meandros cuadrados, cajas dentro de cajas o paramecios, recomiendo empezar en un borde.

5. **Situar la sección de la labor** por donde se vaya a empezar, debajo de la aguja. Bajar el prensatelas y, con la rueda manual o el botón de subir/bajar la aguja si existe, pinchar la aguja en la tela y dejar que suba del todo. Con cuidado, dar un tirón del cabo del hilo hasta que el hilo de la canilla forme una presilla arriba de la superficie del quilt. Tirar de esa presilla hasta que el cabo del hilo salga de la canilla. Ya se puede empezar.

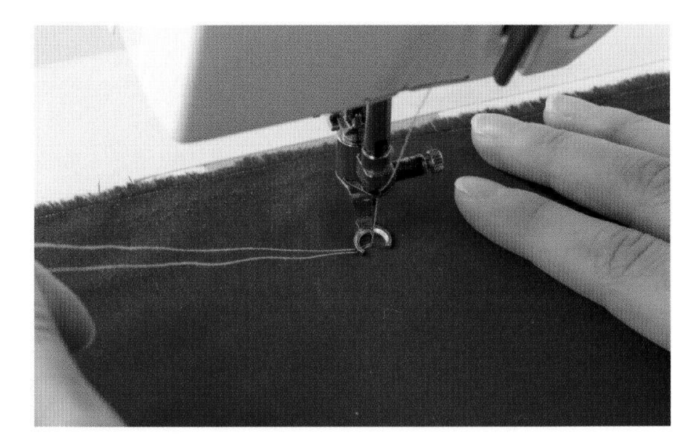

Tirar hacia arriba del hilo de la canilla para evitar enredos en la trasera del quilt.

Cuadrados de prácticas

Estos cuadrados son para practicar, por eso no se utilizan telas caras, aunque unas telas son más adecuadas que otras.

- Evitar dibujos muy complicados. Las telas lisas o estampadas con poco contraste permiten ver mejor el dibujo de acolchado.
- Utilizar telas de algodón 100%. Hay que imitar un quilt real, por eso se elige una muselina o un paño de algodón.
- No ser muy exigente. No es necesario que las telas sean bonitas, solo son para practicar.
- Emplear recortes de guata. Se pueden unir recortes de otras labores enfrentando los bordes y haciendo un zigzag por encima para utilizarlos en los cuadrados de prácticas.

Hacer los cuadrados: cortar dos cuadrados de tela de 12" y uno de guata. Ponerlos a capas, con la guata en el centro. No es necesario hilvanar las capas; basta con presionarlas y se mantendrán unidas.

Dibujar una línea a 1" de los bordes para definir un cuadrado de 10"; hacer una costura sobre la línea. La costura sujeta el cuadrado de prácticas, delimita un espacio de acolchado, ofrece un borde a partir del cual trabajar y permite mantener una correcta posición de las manos para controlar la labor al máximo.

Trucos, consejos y recordatorios

Aunque no hay trucos milagrosos que otorguen el don del acolchado, hay unas cuantas cosas que me ha enseñado la experiencia y que quiero explicarte desde el principio. Espero que te sean tan útiles como creo que lo han sido para mí en mis comienzos de acolchado.

Relajarse. El acolchado mejorará. En serio. Una quilter estresada, nerviosa, con los hombros en tensión y la mandíbula apretada hará un acolchado irregular, de líneas quebradas. Una quilter relajada, con los hombros redondeados y las mandíbulas distendidas se sentirá libre para trazar curvas y moverse. Honradamente, cualquier tensión en el cuerpo se reflejará en el acolchado, por eso hay que escuchar buena música, sentirse cómodo y concederse muchos descansos. Si se siente estrés o ansiedad, no es el momento de acolchar.

Dibujar mucho. Ya sé que lo he dicho, pero es importante. Hay que hacerlo.

No tener miedo a equivocarse. No hay que temer echar a perder una labor con un mal acolchado. Hay que empezar por algo y no hay forma de evitar ser principiante cuando se emprende cualquier cosa. Ya sé que no es divertido ser imperfecto, pero para mejorar hay que aprender. Y no se aprende si no se practica con quilts o con labores acolchadas.

¡Celebrar las victorias! Este camino tiene altibajos. Seguramente los bajos serán estresantes, es natural. Pero hay que resaltar las victorias. Hay que alabarse por las mejoras y mostrar las labores con orgullo. Si se ponen en una balanza los duros momentos de aprendizaje con los de triunfo, se consigue suficiente motivación para seguir adelante.

Quitarse los zapatos. ¿Qué? Espera, ¿me estás diciendo que me quite los zapatos? Pues sí, ¡eso es! Y tengo mis razones, te lo aseguro. Una de las cosas que el cerebro y el cuerpo tienen que aprender es a controlar la velocidad de la máquina de coser y acompasarla con los movimientos de las manos. Parece más difícil de lo que es en realidad. La razón de trabajar descalzo o con calcetines es porque así se notan los sutiles matices de controlar la velocidad con el pedal. Si se llevan zapatos, lo máximo que se puede alcanzar es tres niveles de velocidad: lenta, media y turbo. Existe la idea equivocada de que para acolchar bien hay que coser deprisa. Nada más lejos de la verdad.

Para acolchar bien en movimiento libre hay que saber reducir la velocidad y acelerar. Si se mueven las manos más deprisa que la aguja, se dan puntadas largas. Si se mueve la labor demasiado rápido y con movimientos circulares, se trastoca la tensión. Si se mueven las manos demasiado despacio y la aguja va muy deprisa, entonces las puntadas quedan diminutas. Hay que lograr un buen término medio. No es algo que deba preocupar y, por favor, no hay que salir corriendo a comprar un regulador de puntadas pensando que un largo de puntada perfecto hace una quilter perfecta. Solo significa que el largo de puntada va a ser perfecto. Si no se siguen bien los dibujos de acolchado, no quedarán bonitos. Es preferible practicar para mover las manos al compás de la velocidad de la máquina. Y acolchar descalzo ayuda.

Arrancar y parar. Cuando se empieza o se detiene la costura en el centro de una labor, hay que dar siempre cinco o seis puntadas en el mismo sitio para sujetar los hilos. Retirar el quilt de la máquina y cortar los cabos de hilo a ras del top del quilt.

Metas realistas. Hay que tratar de mejorar, no de alcanzar la perfección. Tenerlo en cuenta a la hora de juzgar una labor. Resistir a la tentación de descoser las puntadas. Algunas quilters pasan la mitad del tiempo descosiendo porque se ponen metas muy altas y su labor les parece imperfecta. Eso sí que genera frustración. Por algo este acolchado se llama "en movimiento libre". Como es un ser humano el que controla todos los movimientos, ya se sabe, habrá imperfecciones. Hasta la mejor quilter del mundo podría señalar sus errores. A lo mejor los demás no los notan, pero ella puede decir dónde están. Así que hay que aceptar las imperfecciones y saber que se mejorará con la práctica. Si el quilt no va a pasar el examen de un jurado, no hay razón para deshacer un acolchado con tal de que sea funcional.

Rizos y escritura

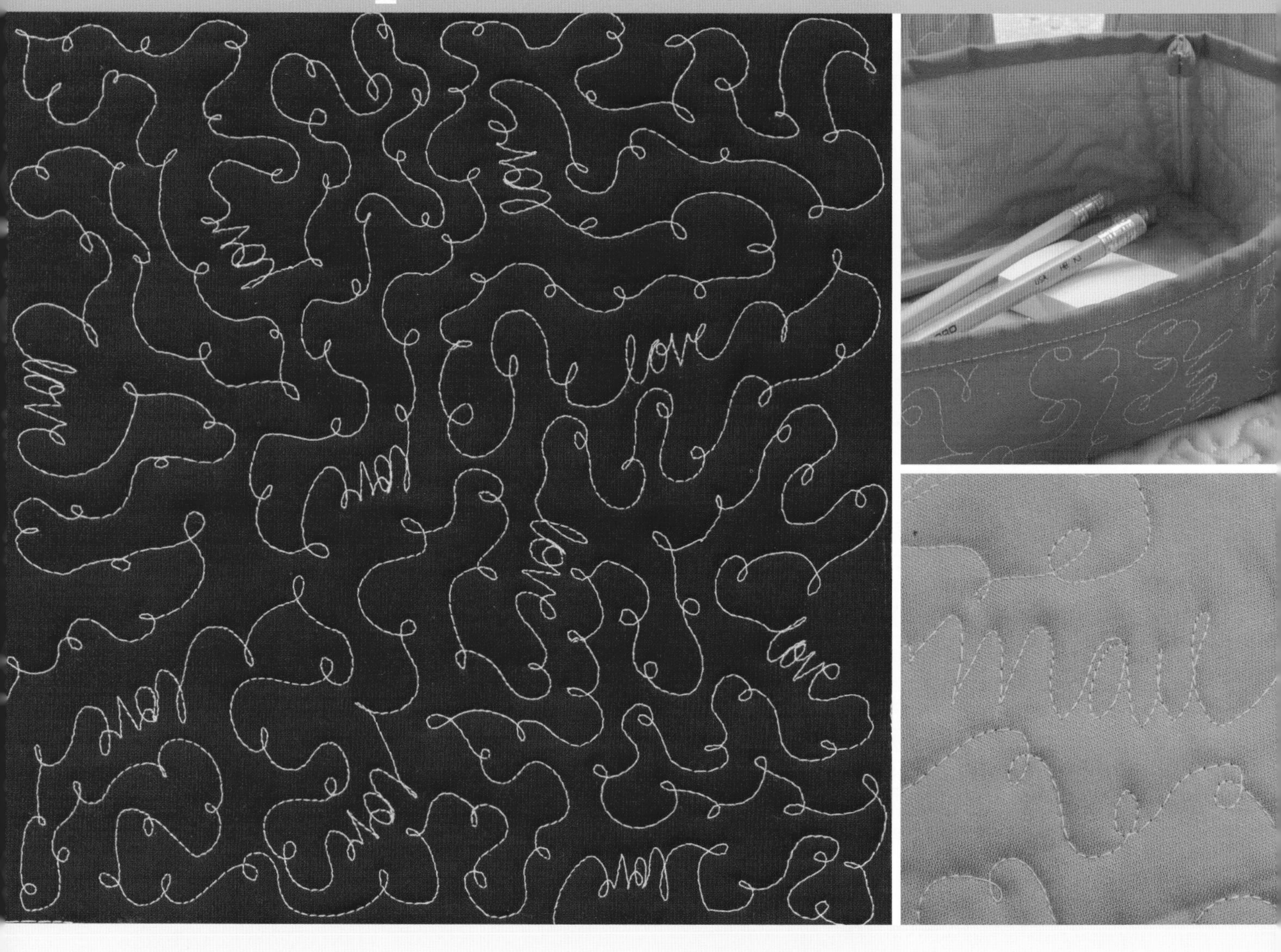

A la hora de elegir un tipo de acolchado para empezar, recordé mis primeros pasos en el acolchado en movimiento libre: qué era lo mejor para mí y qué me costaba más trabajo. También pensé en mis amigas y mis alumnas, que me hablaban de sus primeros tiempos de acolchado en movimiento libre. Parece que todas estábamos de acuerdo en calificarlos de trepidantes. ¿Qué hago primero? ¿Por dónde empiezo? Estás aprendiendo muchas cosas nuevas en los primeros momentos de acolchar en movimiento libre y es difícil, hasta para personas duchas en múltiples tareas. Cuando me senté por primera vez a probar a acolchar en movimiento libre, empecé con los clásicos meandros porque suponía que así tenía que empezar. Resultó que no era el comienzo más indicado para mí porque los movimientos me resultaban extraños. Eso, combinado con las demás cosas que mi cerebro trataba de manejar, fue demasiado y me generó frustración.

Respiré hondo y pensé: sé escribir mi nombre, ¿por qué no tratar de acolcharlo? Empecé con solo una letra *e*, luego una *l* minúscula en la clásica cursiva de escuela, con todas las letras enlazadas. Eso me resultó mucho más llevadero que los meandros y también me quedó mejor. Así que seguí escribiendo mi nombre y mi apellido y me sorprendió ver que me quedaba casi tan bien como si lo hubiera escrito con un marcador. Basándome en esa experiencia, aconsejo que tú también empieces por ahí. Todos tenemos la memoria muscular de la escritura cursiva básica. No hay que pensar mucho qué viene después y todo el mundo sabe formar letras. Me he dado cuenta de que los bucles clásicos rizando el rizo (es como escribir una letra *e* cursiva) permiten formar un texto, la palabra de acolchado que se prefiera, y queda muy bien como dibujo de acolchado. Este modelo sirve para realzar cualquier tema de acolchado o para dirigir un mensaje. Las opciones de personalización son infinitas. ¡Empecemos por ahí!

INSTRUCCIONES

1. Preparar la máquina siguiendo Cinco pasos de preparación para acolchar en movimiento libre, ver página 21, y preparar el cuadrado de prácticas.
2. Asegurarse de colocar las manos en la posición correcta para controlar la tela al máximo, dar cinco o seis puntadas despacio en el mismo sitio antes de dibujar una *e* minúscula en cursiva. Seguir acolchando otra *e* y luego una tercera, en fila.
3. Seguir toda la fila de letras y tratar de añadir una *l* minúscula. Acolchar varias en fila.
4. Al llegar al final de la primera fila, acolchar una línea debajo de la fila de letras para volver al borde de la izquierda. Empezar una nueva fila, esta vez comenzando con la letra *m* seguida de una *w*.
5. Seguir probando otras letras, como una *o*. Tratar de escribir el nombre u otra palabra sencilla. Una de las palabras que más me gusta acolchar es *love*.

6. Salir de las filas y tratar de rellenar el espacio con rizos, dejando de ½" a 1" entre cada bucle.
7. Después de rellenar algo de espacio con rizos, añadir una palabra, como el propio nombre o la palabra *love*. Cada letra que se domine es una forma o un movimiento al que se puede volver más adelante para aprender otros dibujos.

Tabla de conversión

⅛ de yarda	=	4½ pulgadas	(11,5 cm)
¼ de yarda	=	9 pulgadas	(23 cm)
⅜ de yarda	=	13½ pulgadas	(34,5 cm)
½ yarda	=	18 pulgadas	(45 cm)
⅝ de yarda	=	22½ pulgadas	(57 cm)
¾ de yarda	=	27 pulgadas	(68,5 cm)
⅞ de yarda	=	31½ pulgadas	(80 cm)
1 yarda	=	36 pulgadas	(91,44 cm)

Decimal a pulgadas

0,125	=	⅛ de pulgada	(0,3 cm)
0,25	=	¼ de pulgada	(0,65 cm)
0,375	=	⅜ de pulgada	(1 cm)
0,50	=	½ pulgada	(1,3 cm)
0,625	=	⅝ de pulgada	(1,5 cm)
0,75	=	¾ de pulgada	(2 cm)
0,875	=	⅞ de pulgada	(2,2 cm)
1,0	=	1 pulgada	(2,54 cm)

Recordar parar con frecuencia

Cuando se empieza, uno de los errores más frecuentes que cometen las quilters es olvidar parar a recolocar las manos. Eso significa que las manos no están en el lugar adecuado para controlar la tela y se puede perder el control de la labor y acercar peligrosamente la mano a la aguja. Cada pocas pulgadas, reducir la velocidad hasta parar, recolocar las manos y seguir acolchando. Si se adopta esta costumbre desde el principio, se facilita el proceso de aprendizaje.

Conjunto de organizadores

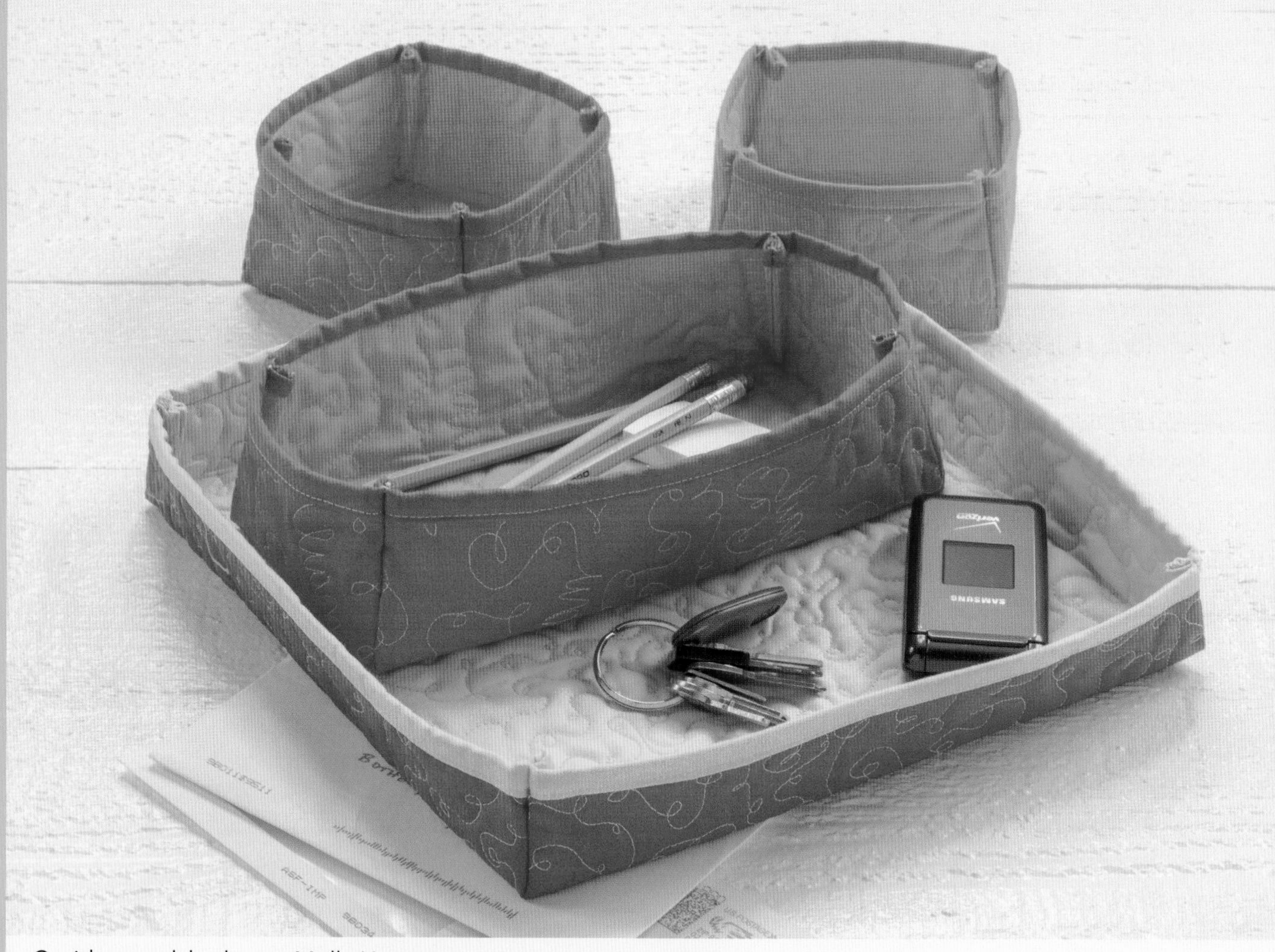

Cosido y acolchado por Molly Hanson.

La organización no es lo mío, sobre todo a la hora de reunir todo lo necesario para salir de casa. ¿Dónde están las dichosas llaves? ¿Habéis visto mi cartera? ¿Y mi móvil? Ya sabes. Diseñé estos prácticos recipientes para que fueran la solución perfecta a mi falta de organización. Lo pasé bien acolchando, intercalando unas palabras entre los rizos. Las palabras me ayudan a colocar cada cosa en su sitio y quedan bonitas. Este juego también sirve para organizar el cuarto de baño, el de costura… ¡y cualquier sitio que necesite un poco de orden!

TAMAÑOS TERMINADOS

Recipientes pequeños: 5" x 5"
Recipiente grande: 5" x 10"
Bandeja: 11" x 11"

MATERIALES

Las cantidades son para telas de 42" de ancho. Los Fat Quarters miden 18" x 21".

8 Fat Quarters de telas lisas coordinadas (2 Fat Quarters para cada recipiente y para la bandeja)

Guata: 1 cuadrado de 16" x 16"
2 cuadrados de 11" x 11"
1 rectángulo de 11" x 15½"

INSTRUCCIONES

Planchar los Fat Quarters y colocarlos por parejas según los colores elegidos. Una pieza quedará por fuera del recipiente o de la bandeja y la otra por dentro. Tenerlo en cuenta al trabajar.

Recipientes pequeños

1. De dos juegos de Fat Quarters, cortar cuatro cuadrados en total, de 11" x 11".
2. Superponer cada juego de cuadrados con un cuadrado de guata de 11"; hilvanar.
3. Acolchar como se indica en el mapa de acolchado.

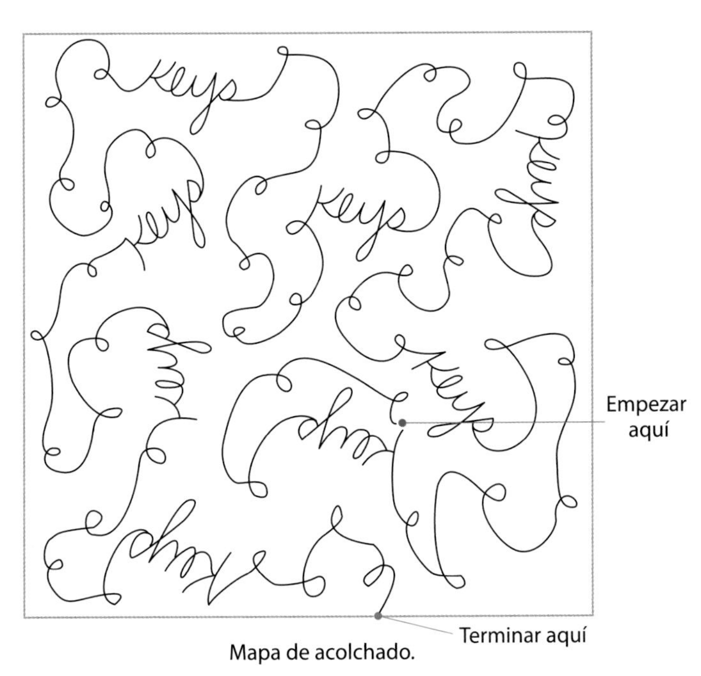

Mapa de acolchado.

4. Recortar cada cuadrado acolchado a 9½" x 9½".
5. Dibujar en cada esquina de la pieza acolchada un cuadrado de 2", como en el dibujo, y cortar los cuadrados por las líneas.

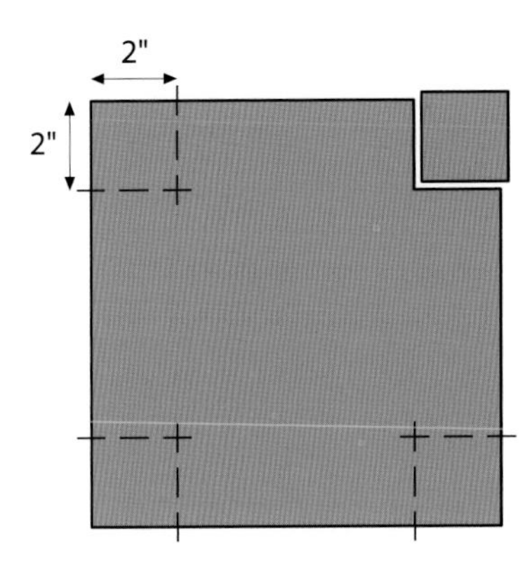

6. Ver Ribetear, página 94. Del Fat Quarter reservado, cortar cuatro tiras de 2" x 5½" y ribetear los bordes como en el diagrama. No ribetear los bordes de 2" de las esquinas.

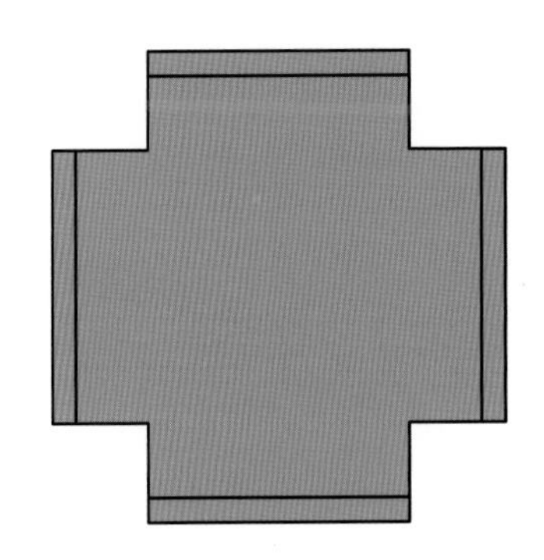

7. Casar los dos cantos de una esquina como se indica, derecho con derecho y asegurándose de situar la tela que se prefiera por dentro del recipiente. Hacer una costura a ¼" del canto. Volver el recipiente del derecho, planchar la costura y hacer otra costura por dentro, a ¼", encerrando la primera. Los cantos quedan ahora escondidos dentro de la costura. Repetir con las otras tres esquinas.

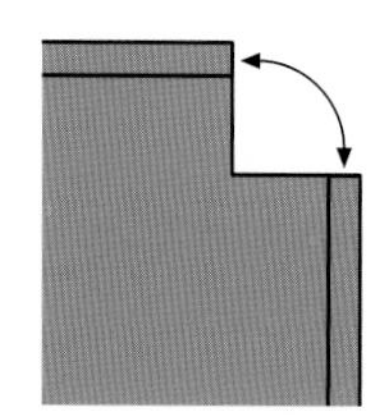

Casar los cantos.

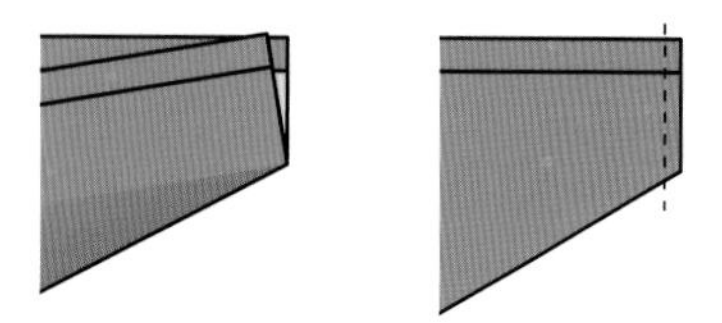

Hacer la costura.

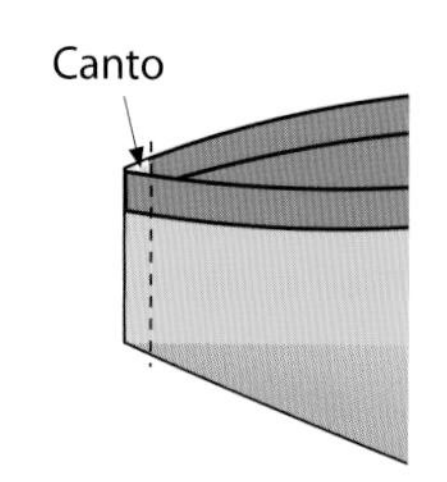

Volver del derecho y coser.

8. Repetir los pasos 5 a 7 para hacer un segundo recipiente pequeño.

Recipiente grande

Para más instrucciones e ilustraciones, ver Recipientes pequeños, página 27.

1. De un juego de Fat Quarters, cortar dos rectángulos de 11" x 15½". Superponer los rectángulos de tela sobre uno de guata de 11" x 15½"; hilvanar.
2. Acolchar como se indica en el mapa de acolchado. Recortar el rectángulo acolchado a 9½" x 14".
3. Dibujar un cuadrado de 2" en cada esquina y recortarlos. Ribetear los bordes y terminar las esquinas.

Bandeja

Para más instrucciones e ilustraciones, ver Recipientes pequeños, página 27.

1. Del juego de Fat Quarters restante, cortar dos cuadrados de 16". Superponer los cuadrados de tela sobre uno de guata de 16"; hilvanar.
2. Acolchar como se indica en el mapa de acolchado. Recortar el cuadrado acolchado a 14" x 14".
3. Dibujar un cuadrado de 1" en cada esquina y recortar los cuadrados. Ribetear los bordes y terminar las esquinas.

Meandros

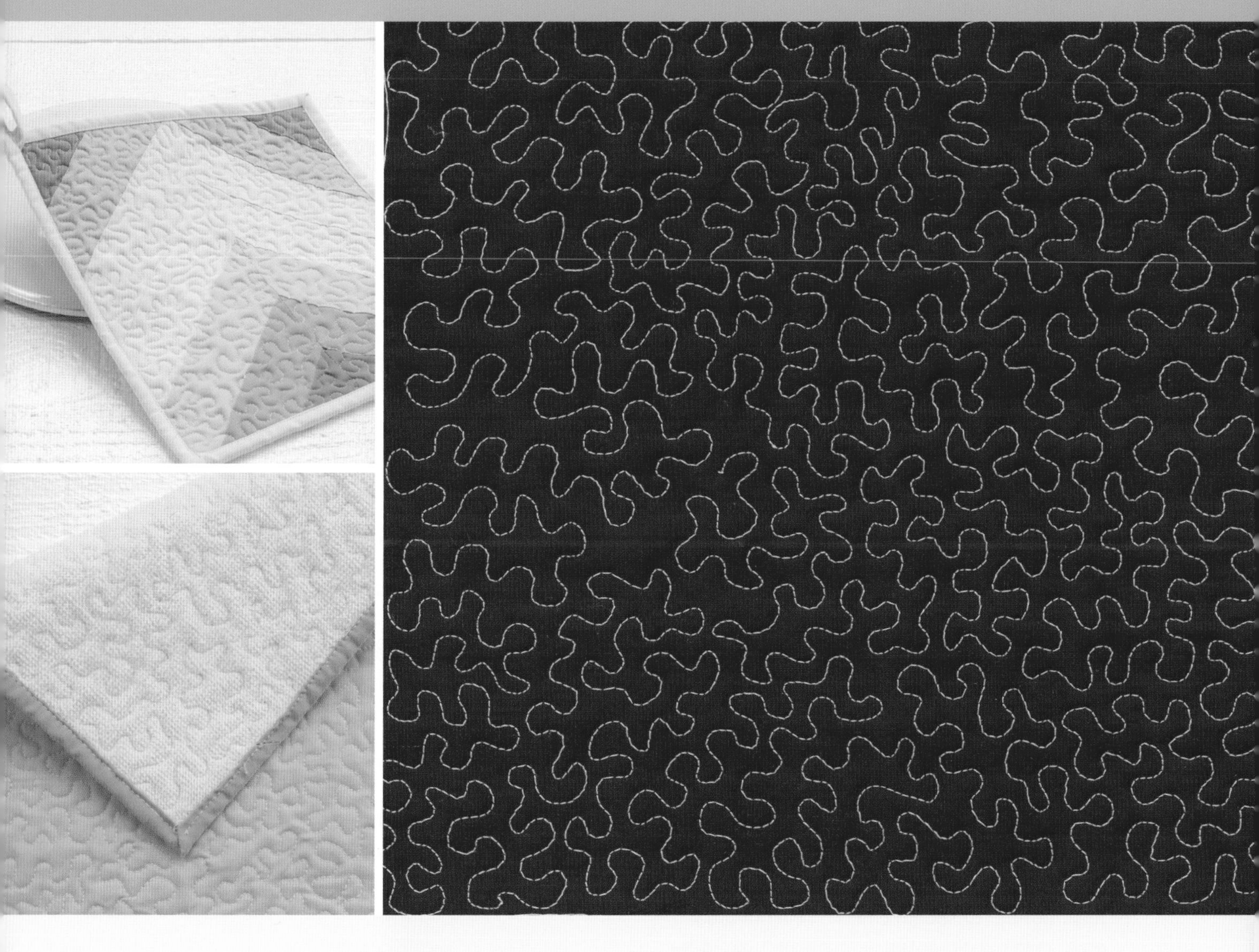

El meandro básico, o punteado, es con diferencia el dibujo más utilizado para acolchar en movimiento libre. Su versatilidad, ligereza y capacidad para combinar sin competir con el patchwork, hace que sea el preferido de las quilters, independientemente de su procedencia y generación. Muchas quilters no aprenden, o utilizan, otro dibujo que no sea este. Si se quiere llegar a dominar un modelo de acolchado, es definitivamente el mejor. (¡No estoy aconsejando, en absoluto, que el aprendizaje del acolchado en movimiento libre se limite a este único diseño!).

Este diseño se basa en unas cuantas reglas muy simples. Esencialmente, se cosen líneas curvadas en U que nunca se cruzan. Lo que significa que se rellena el espacio con curvas en herradura, moviendo el quilt de manera que el dibujo no se meta nunca en un rincón (o una zona) del que no se pueda salir sin cruzar una línea de acolchado anterior.

Es un diseño que se aprende en pocos minutos y que se tarda toda una vida en dominar. Requiere mucha práctica para mantener una escala invariable y hacer siempre líneas curvas.

Los meandros son un dibujo al azar, sin un recorrido o movimiento predeterminado, por lo que con frecuencia el cerebro se queda en blanco. Son tantas las opciones y las direcciones en las que se puede desplazar la labor, que se pierde el sentido. Para combatirlo, me centro en acolchar siguiendo ondas de movimientos. No me atrevo a llamarlas "filas" porque suelo empezar con un grupo de meandros en el centro de la labor y luego sigo hacia fuera, hacia un borde, cosiendo en ondas hacia delante y hacia atrás. Me aseguro de rellenar todo el espacio mientras voy avanzando para no dejar huecos que tenga que rellenar después.

Procurar dibujar meandros de esta manera antes de pasar a acolcharlos. Rellenar unas cuantas hojas con esos dibujos ayuda realmente al proceso de aprendizaje.

INSTRUCCIONES

1. Preparar la máquina siguiendo los Cinco pasos de preparación para acolchar en movimiento libre, ver página 21, y preparar un cuadrado de prácticas.
2. Asegurándose de tener las manos colocadas en el lugar adecuado para controlar la tela al máximo, dar despacio cinco o seis puntadas en el mismo sitio antes de acolchar una figura de *U*. Desplazarse inmediatamente para formar otra *U* y tratar de hacer una fila ondulante de *U*, como en el diagrama.

3. Al llegar cerca del borde del cuadrado de prácticas, acolchar hacia abajo y rellenar otra zona con *U* formadas al azar. Pensar en las piezas de un puzle con los lados en *U* en cualquier dirección. Hacer varias *U* abiertas hacia arriba y otras hacia abajo y luego hacia la izquierda y la derecha. Al variar la dirección mejora el dibujo general.
4. Seguir rellenando el cuadrado con meandros. Cuando se haya terminado, dedicar un tiempo a rellenar más hojas del cuaderno con meandros para que el cerebro asimile bien los movimientos.
5. Probar con otro cuadrado de prácticas y ver la facilidad con que se trabaja cuando el cerebro ha entendido la manera de crear el dibujo. Seguir practicando, dibujando y acolchando este diseño.

Salir de un rincón

¿Te ves arrinconada en una esquina? ¡No te preocupes! Tienes dos opciones: romper las reglas y cruzar por encima de una línea de costura, o cortar el hilo y pasar a otra zona del proyecto, empezando de nuevo y siguiendo. Que esos contratiempos no te desanimen. ¡Sigue acolchando!

Paño de cocina y agarrador de espigas

Cosido y acolchado por Molly Hanson.

TAMAÑOS TERMINADOS

Paño de cocina: 14" x 25"
Agarrador: 10" x 11"

MATERIALES

Las cantidades son para telas de 42" de ancho y son suficientes para 1 paño de cocina y 1 agarrador. Un Fat Quarter mide 18" x 21".

1 toalla de baño de felpa aterciopelada de 25" x 50" o mayor, para la trasera

1 Fat Quarter de tela lisa beis para el paño de cocina

7 tiras de 2" x 42"de telas para patchwork verde liso coordinadas

4 tiras de 2½" x 42" de telas verde liso coordinadas para ribetear

¿Sabías que las toallas son excelentes sustitutas de la guata y la trasera y se pueden acolchar? Lo mejor es una felpa aterciopelada fina, con terciopelo de pelo corto por una cara y rizo grueso por la otra. En este proyecto, una toalla se convierte en un paño de cocina (o en dos) con detalles de patchwork. Las dimensiones del proyecto se basan en el ancho de mi toalla. Si la toalla de que se dispone es mayor o menor, se ajustan las dimensiones, sin más. En el agarrador se utiliza la tira sobrante de hacer el paño. Este juego se hace rápidamente y es un regalo práctico y bonito. ¡Todo un éxito!

LA ESPIGA

1. Cortar por la mitad cada tira verde de 2" de ancho para tener catorce tiras de 2" x 21". Colocar siete tiras en el orden que se prefiera. Desplazando 2" los extremos, coser unas tiras con otras por los bordes largos para hacer un juego de tiras. Planchar los márgenes de costura hacia la tira de arriba. Colocar un segundo juego de siete tiras verdes, asegurándose de que repitan, como en un espejo, la imagen del anterior juego. Coser las tiras como antes. Planchar los márgenes de costura hacia la tira de abajo.

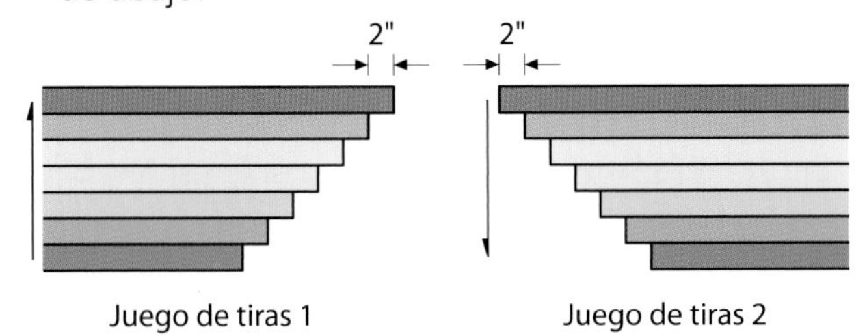

2. Colocar los juegos de tiras derecho con derecho. Con un cúter giratorio y una regla con marcas de 45°, alinear la línea de 45° con una costura del juego de tiras, como en el diagrama. Recortar el extremo escalonado del juego de tiras. NO separar los juegos de tiras.

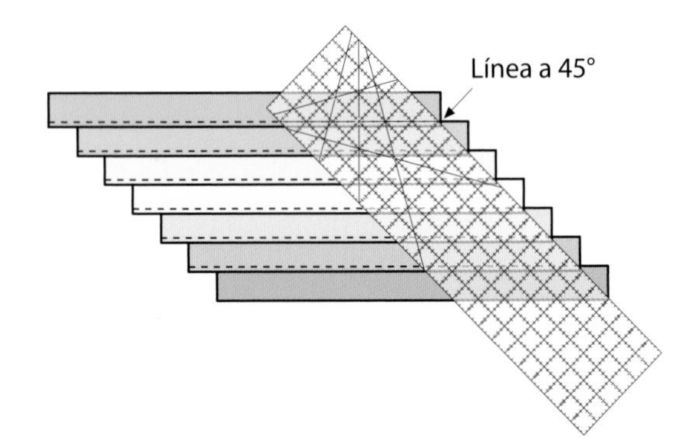

3. Con los juegos de tiras aún derecho con derecho, girarlos 180°. Medir 2" a partir del borde recién cortado y cortar un segmento de 2" de ancho. Asegurarse de sujetar los bordes al bies para no estirarlos.

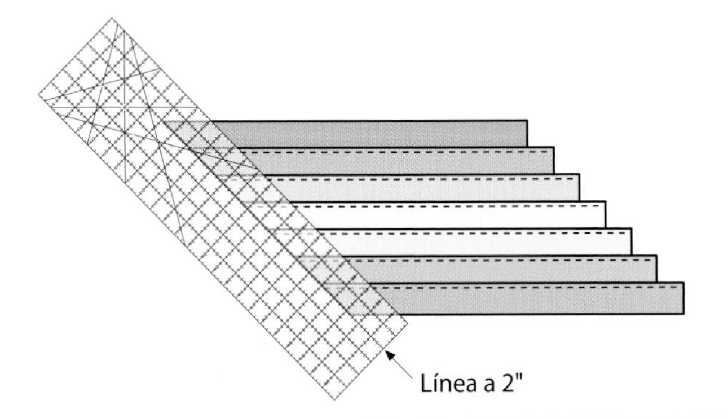

4. Enfrentar las intersecciones de las costuras casándolas y prenderlas por cada línea de costura. Coser unas tiras con otras. Planchar las costuras abiertas. Recortar la tira para que mida 3½" x 14".

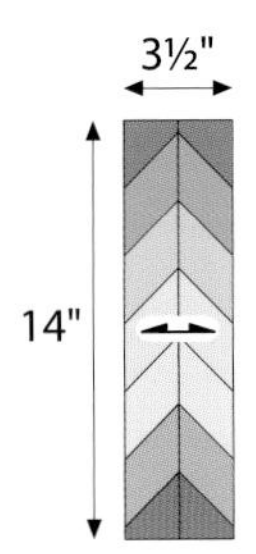

PAÑO DE COCINA

1. Recortar el Fat Quarter beis para que mida 14" x 22". Coser la tira de espiga recién hecha a un borde corto para completar el top del paño. Planchar la costura abierta.
2. De la toalla de baño, cortar una pieza que mida de 1" a 2" más por cada lado que el top del paño. Rociar de pegamento de hilvanar para pegar el top con el lado de rizo de la toalla.
3. Acolchar como en el mapa de acolchado.

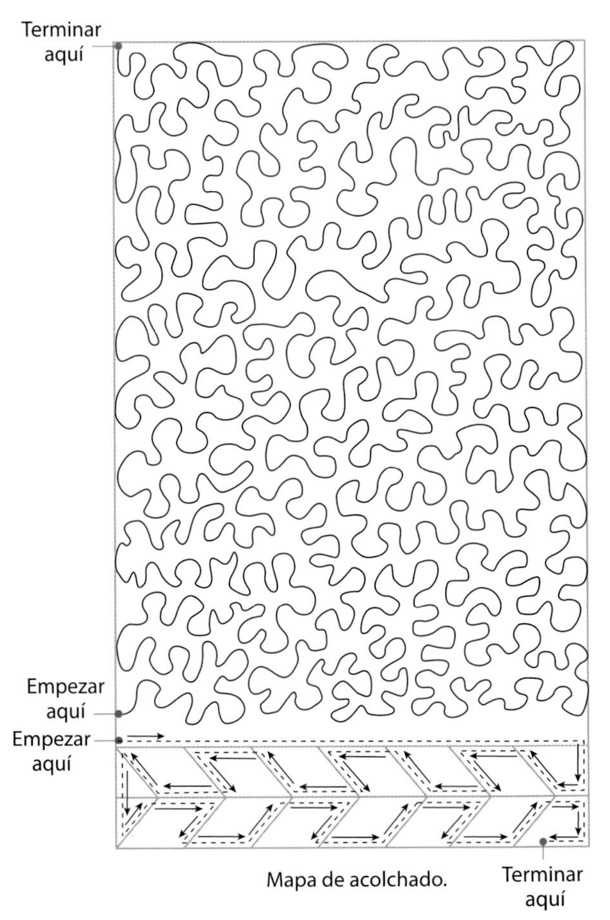

Mapa de acolchado.

4. Recortar los bordes de la toalla a ras de los bordes del top. Ver Ribetear, página 94, para ribetear los bordes utilizando dos de las tiras verdes de 2½" de ancho.

AGARRADOR

Utilizar los recortes de los juegos de tiras de La espiga, ver página 32.

Materiales adicionales

Cuadrado de 12" x 12" de tela para la trasera

Pieza de 12" x 12" de guata Insul-brite aislante

Pieza de 12" x 12" de guata normal

Instrucciones

1. Siguiendo los pasos 2 y 3 de La espiga, ver página 32, poner los juegos de tiras derecho con derecho y recortar el extremo. NO separar los segmentos.

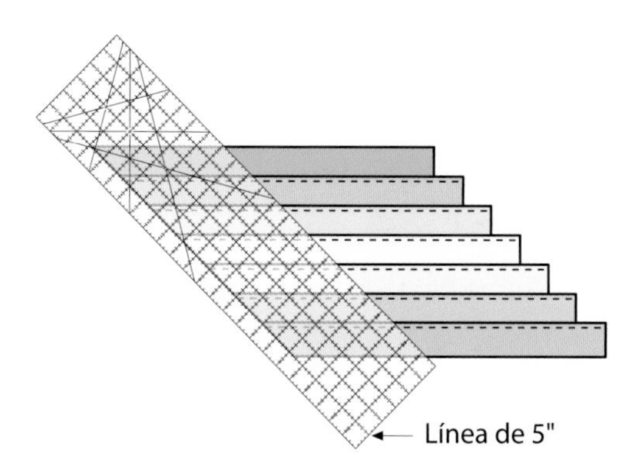

2. Prender y coser unos segmentos con otros por un borde largo, asegurándose de casar las intersecciones de las costuras. Planchar las costuras abiertas.

3. Recortar la pieza para que mida 11" x 11", alineando bien los cortes para aprovechar al máximo la espiga.

4. Siguiendo las instrucciones del fabricante, rociar de spray de hilvanar el Insul-brite para pegarlo por el revés de la pieza en espiga. Rociar la pieza de guata normal para pegarla con el Insul-brite. A continuación, rociar el revés de la trasera para pegarlo con la guata.

5. Acolchar como se ve en el mapa de acolchado.

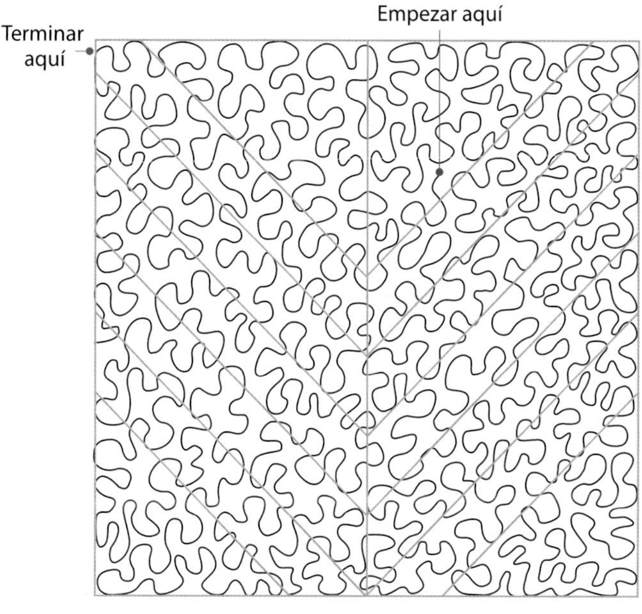

Mapa de acolchado.

6. Recortar el agarrador para que mida 10" x 11".

7. Ver Ribetear, página 94, para ribetear los bordes con el resto de tiras verdes de 2½" de ancho. Para este proyecto, empezar a coser el ribete en la esquina de arriba, a la derecha o a la izquierda, como se prefiera. Detener la costura a ½" de donde se empezó. Cortar el extremo del ribete dejando unas 3". Remeter los cantos por dentro y coser la punta del ribete empezando en el borde del agarrador. Doblar el ribete formando una presilla y remeter el extremo en la abertura de ½". Coser la abertura.

Guijarros y sartas de perlas

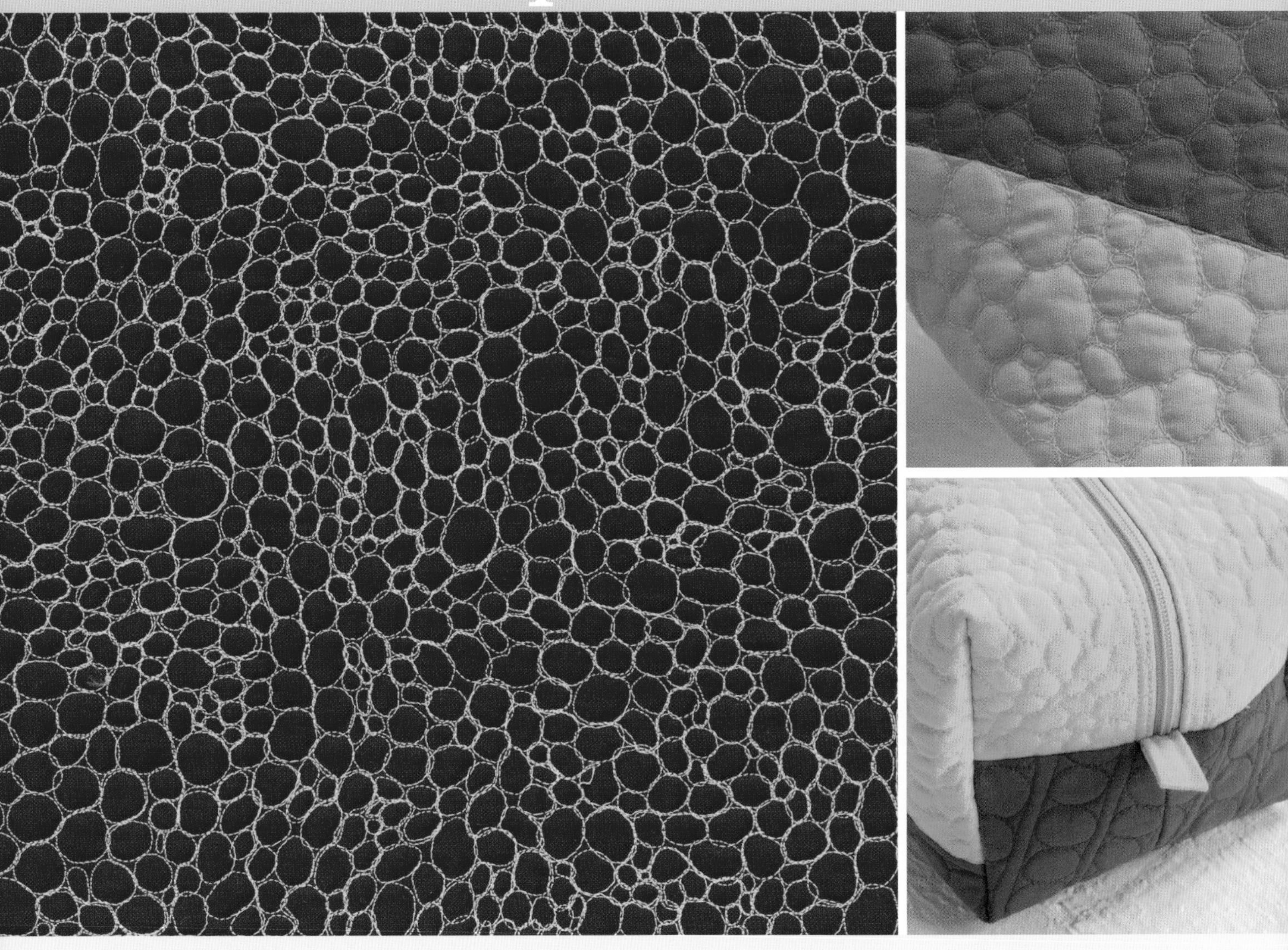

Se pueden llamar guijarros, burbujas o perlas, en cualquier caso se trata de un modelo de acolchado que consiste en rellenar un espacio con tantos redondeles como sea posible. Es uno de mis diseños de acolchado preferidos y definitivamente el que más alabanzas me ha granjeado. A la gente le encanta el aspecto y la textura de los guijarros. No se lo reprocho, ¡a mí también!

Los guijarros, como los meandros, se ajustan a cualquier parte. Hasta una sola fila de guijarros, llamada "sarta de perlas", puede quedar bonita en un borde o en la nervadura de una pluma. Los diseños de acolchados que utilizo con más frecuencia son un relleno de guijarros y una sarta de perlas, y apuesto a que lo mismo pueden decir muchas quilters. Estos dibujos se tardan en dominar, pero su versatilidad merece el esfuerzo.

Dicho esto, los guijarros son una labor que requiere cariño y hay que recordarlo antes de ponerse a acolchar el motivo en una superficie grande. Se tarda más en acolchar guijarros que en hacer cualquier otro dibujo y también consumen más hilo. Hay que pasar una o incluso dos veces alrededor de cada guijarro antes de ir al siguiente. Me gusta combinar los guijarros con otros diseños de relleno porque se produce siempre un contraste interesante y se delimitan las zonas de guijarros.

INSTRUCCIONES

1. Preparar la máquina siguiendo los Cinco pasos de preparación para acolchar en movimiento libre, ver página 21, y preparar un cuadrado de prácticas.
2. Asegurándose de tener las manos colocadas en el lugar adecuado para controlar la tela al máximo, dar despacio cinco o seis puntadas en el mismo sitio antes de coser un círculo de ½" de diámetro. Parar donde se empezó. Despacio y con cuidado, coser por arriba del círculo en sentido contrario a las agujas del reloj hasta situarse a la derecha del círculo. Despegarse entonces para hacer otro círculo junto al primero.

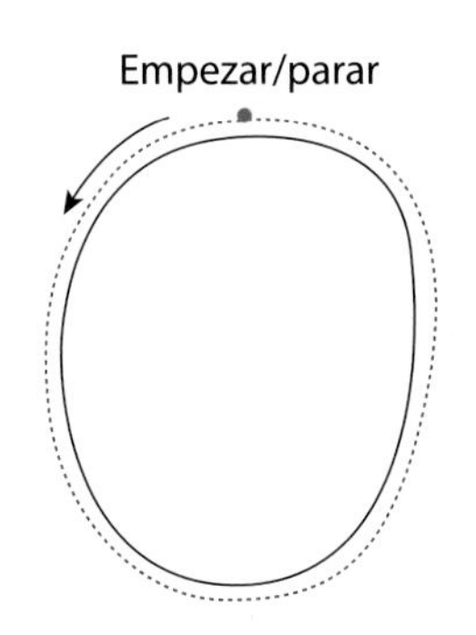

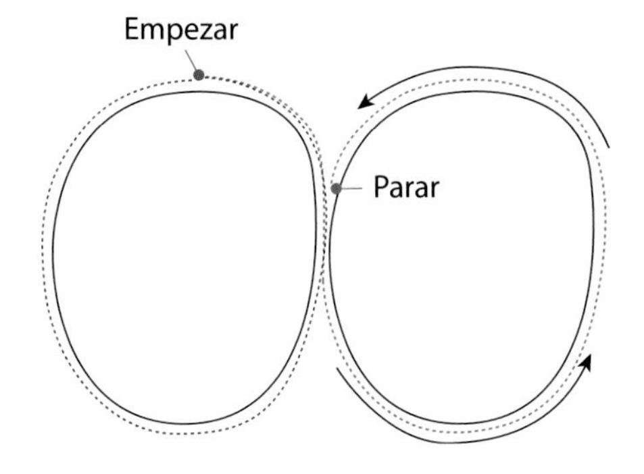

3. Parar donde se empezó el segundo círculo. Ahora se está a su izquierda. Coser por arriba del segundo círculo para llegar al otro lado del mismo y acolchar otro círculo contra el segundo. Seguir de este modo, formando una sarta de perlas o una fila de círculos.
4. Cuando se haya terminado una fila, acolchar una línea a ¼" por debajo de la sarta de perlas, repitiendo como en un espejo las curvas de la sarta. Al llegar de vuelta a la izquierda del cuadrado de prácticas, acolchar otra sarta de perlas, unas contra otras y tocando la línea curva recién cosida. ¿Ves qué distinta queda esa sarta de perlas? Se puede variar el dibujo de muchas maneras.

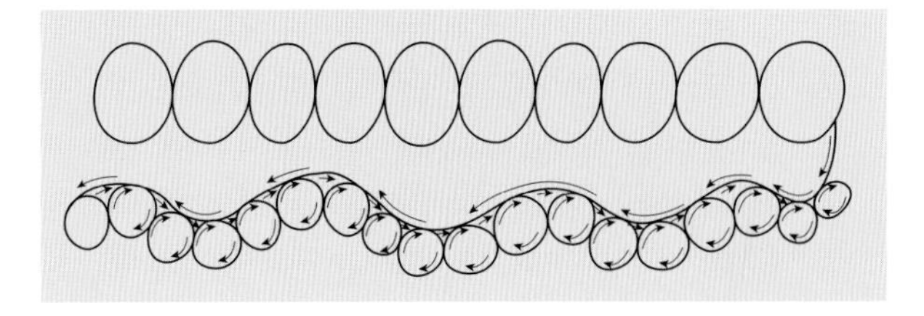

5. Rellenar el espacio que hay debajo de la sarta de perlas ondulante con otro motivo de guijarros. Empezar por hacer un solo círculo de ½" y luego otro inmediatamente y después otro, para seguir construyendo el dibujo y así rellenar el espacio con guijarros. Coser alrededor de cada guijarro cuanto sea necesario para hacer el guijarro siguiente. Si te parece que te has atascado, cose sobre las líneas de costura, entre los guijarros, hasta llegar a un espacio abierto y sigue ahora rellenando el espacio.
6. Cuando se haya acolchado la mitad inferior del cuadrado de prácticas, se cambia la escala de los guijarros y se hacen mayores. Tratar de variar su tamaño de ½" a 1", o incluso a 1½". Los guijarros quedan más realistas si no son todos del mismo tamaño. Un tamaño mayor permite acolchar más deprisa, como habrás podido comprobar. Y además tiene la ventaja de que la labor queda menos rígida y tiene una mejor caída que otra pieza con acolchado más denso.

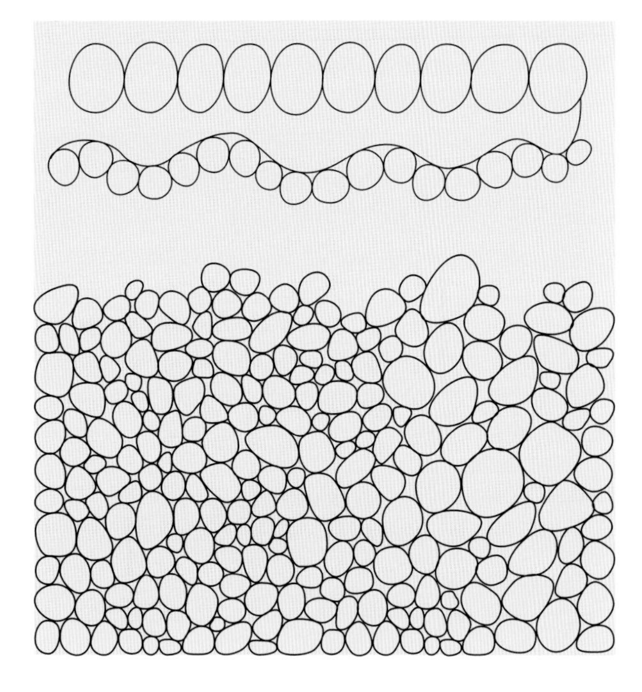

7. Puede parecer una tontería practicar dibujando guijarros, porque sin duda ya se tiene costumbre de dibujar círculos. Pero cuando se practica, la clave está en no levantar el lápiz del papel, en dibujar directamente encima de las líneas existentes para trasladarse alrededor de los guijarros y pasar al siguiente espacio. Toda esta práctica ayuda realmente a acolchar guijarros con seguridad. Por eso, toma el cuaderno y llena muchas hojas con sartas de perlas y de guijarros. Asegúrate de variar el tamaño y de dibujar sartas rectas y ondulantes.

8. Acolchar otro cuadrado de prácticas y hacer una comparación con la primera muestra. No importa que los guijarros no estén perfectos; hay que seguir practicando. Asegúrate de trabajar muy despacio al acolchar guijarros y mantén la calma; eso mejorará el resultado.

Problemas de tensión

¿Qué tal queda la tensión del hilo? Si tienes algún problema con la tensión al acolchar en movimiento libre, seguro que se hace evidente al acolchar guijarros. La naturaleza del diseño parece agravar los problemas de tensión, por eso, si los guijarros aparecen apretados o amontonados, o si se ve una estrella de hilo en la trasera, es porque el top tira demasiado (o viceversa). Tranquila, respira hondo. Prueba la tensión como se indica en las páginas 17 y 18, pero esta vez haz una sarta de perlas en el cuadrado de prácticas. Cuando tengas la tensión bien ajustada, anota la marca y el grosor del hilo que utilizas y el valor de la tensión más adecuada para ese hilo.

Bolsa con cremallera

Cosido y acolchado por Molly Hanson.

TAMAÑO TERMINADO

9" x 5" x 4"

MATERIALES

Las cantidades son para telas de 42" de ancho.

1 pieza de 9½" x 10½" de tela lisa rosa y de tela amarilla para la bolsa

2 piezas de 10" x 11" de tela para el forro

2 piezas de 10" x 11" de guata

2 cuadrados de 2" x 2" de tela a juego con la cremallera

Cremallera de 10" a juego con una de las telas de la bolsa

Colecciono bolsitas con cremallera; las utilizo para casi todo. Me encanta hacerlas y aún más usarlas; me permiten organizarme. ¡Y son regalos estupendos!

Como estas bolsas con cremallera están mullidas con guata y forro, protegen su contenido mejor que las forradas sin más. Y te diré un secreto: son más fáciles de hacer. Sí, más fáciles que las bolsas con cremallera normales. Se construyen de manera que el forro es la trasera del quilt, lo que significa que se saltan varios pasos de los que lleva una bolsa normal.

Este proyecto es del tamaño ideal para artículos de maquillaje u otros más pequeños, pero en cuanto aprendas el proceso puedes adaptar las dimensiones para hacer las bolsas del tamaño y de la forma que te guste.

INSTRUCCIONES

1. Colocar el rectángulo amarillo encima del rosa y casar los bordes. Hacer una marca a 2" de la esquina superior izquierda, como en el diagrama. Hacer una marca a 2" de la esquina inferior derecha. Alinear el borde de una regla con las marcas y cortar las dos capas siguiendo el borde de la regla.

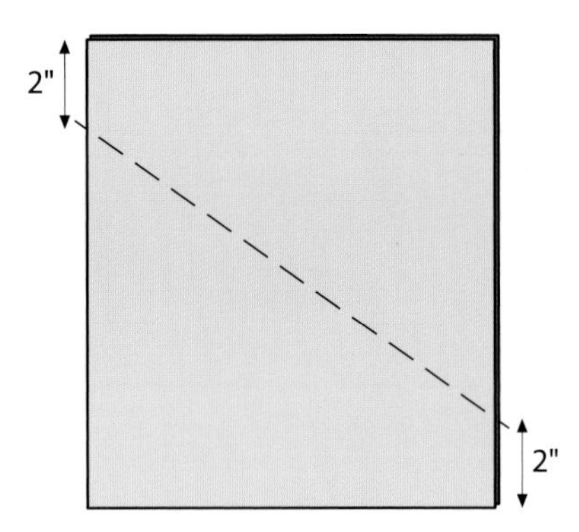

2. Colocar las piezas de manera que cada bloque tenga dos colores distintos. Coser las piezas del top rosa y amarillo formando un bloque bicolor. Planchar las costuras abiertas. Hacer el segundo bloque bicolor como en el diagrama.

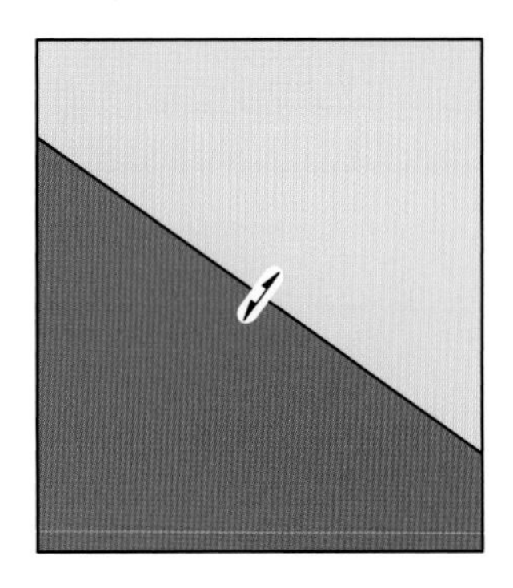

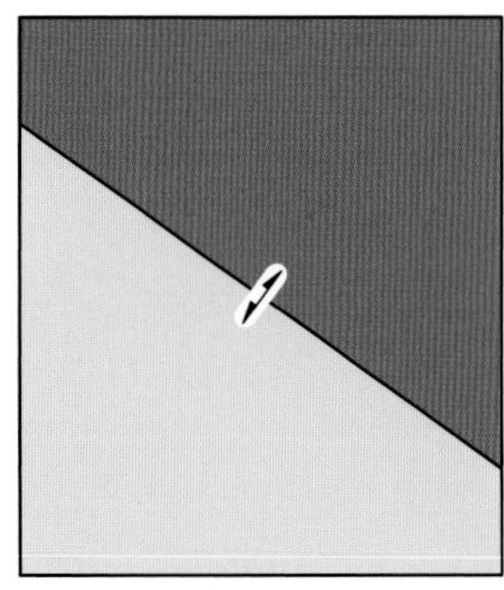

3. Colocar los dos bloques con la guata y una pieza de forro; hilvanar con el método que se prefiera.

4. Acolchar como en el mapa de acolchado.

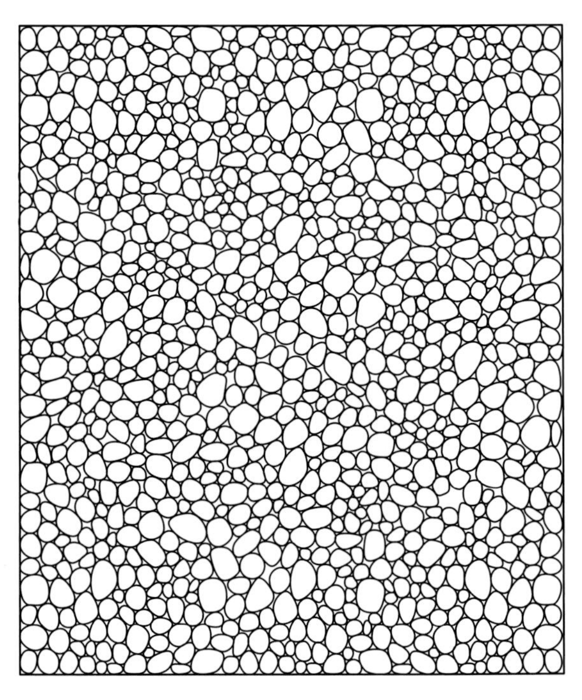

Mapa de acolchado.

5. Recortar los bordes de la guata y del forro a ras de los bordes de los bloques. Hacer una costura en zigzag por los bordes de los dos bloques acolchados.

6. Doblar cada cuadrado de 2" revés con revés y planchar. Alinear los cantos de un cuadrado doblado con un extremo de la cremallera. Coser el cuadrado en su sitio con un margen de costura de ½". Abrir el cuadrado y plancharlo. Coser de igual manera el otro cuadrado al otro extremo de la cremallera y planchar. Recortar los cuadrados a ras de los bordes largos de la cremallera.

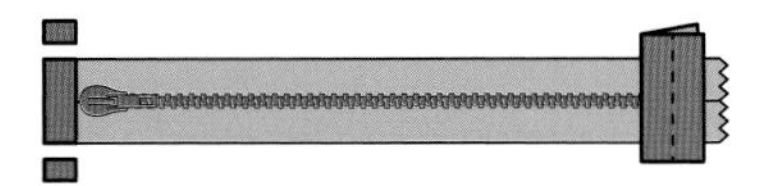

7. Poner un bloque acolchado sobre una superficie lisa, con el derecho hacia arriba y el borde rosa arriba. Colocar la cremallera cerrada, y con el revés hacia arriba, en la parte superior del bloque, casando los bordes. Ver Cremalleras en la página 93 para coser la cremallera con el bloque. Planchar y hacer un pespunte a ⅛" de la costura.

8. Repetir para coser el borde rosa del otro bloque acolchado con el lado opuesto de la cremallera, asegurándose de alinear bien los laterales de los bloques.

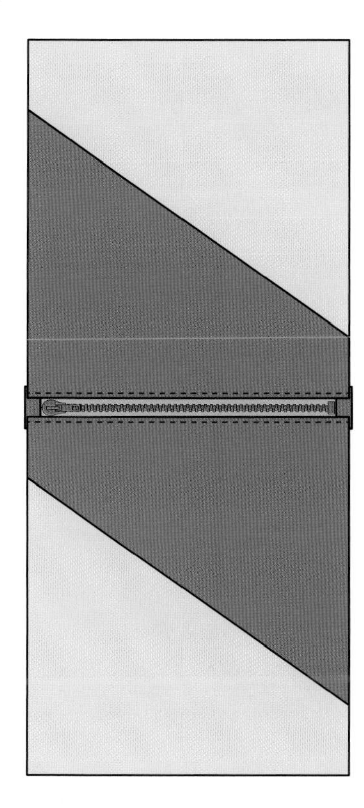

9. Abrir la cremallera hasta la mitad. (Habrá que volver la bolsa del derecho por la cremallera abierta). Con el forro hacia fuera, alinear los cantos de los lados y los de abajo y prenderlos. Empezar a ¼" de la cremallera dando una puntada hacia atrás y coser los bordes de los laterales y de abajo, parando la costura a ¼" de la cremallera y dando otra puntada hacia atrás.

10. Para hacer las esquinas a caja, realizar unas marcas a 2" de los dos lados de cada esquina, como en el diagrama. Cortar el cuadrado de cada esquina por la línea dibujada.

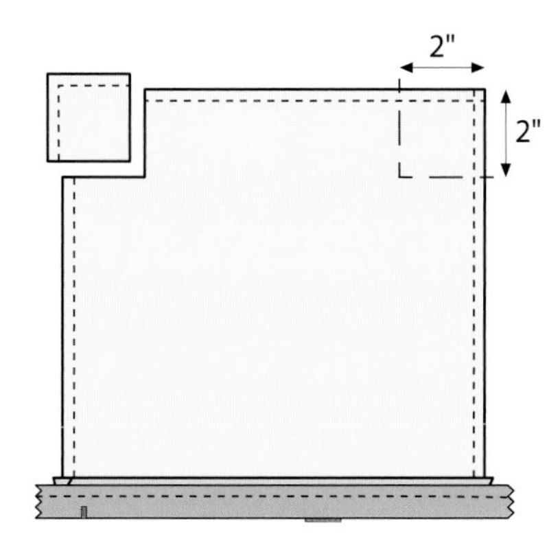

11. En una esquina, casar la costura del lateral con la de abajo, prender los cantos unidos. Hacer una costura dejando un margen de ¼". Luego coser un zigzag sobre los cantos para que no se deshilen. Repetir para hacer la otra esquina de abajo a caja.

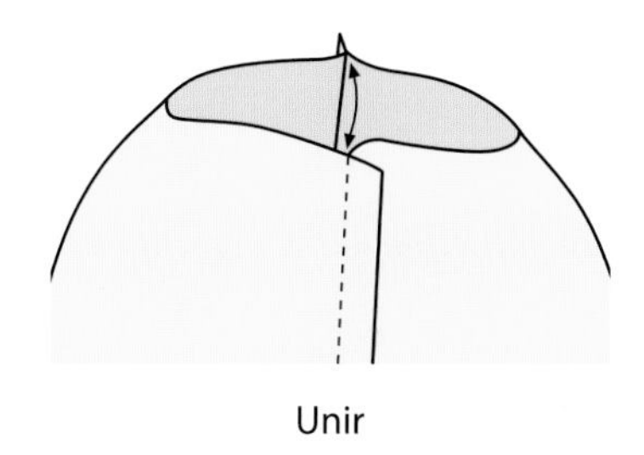

Unir

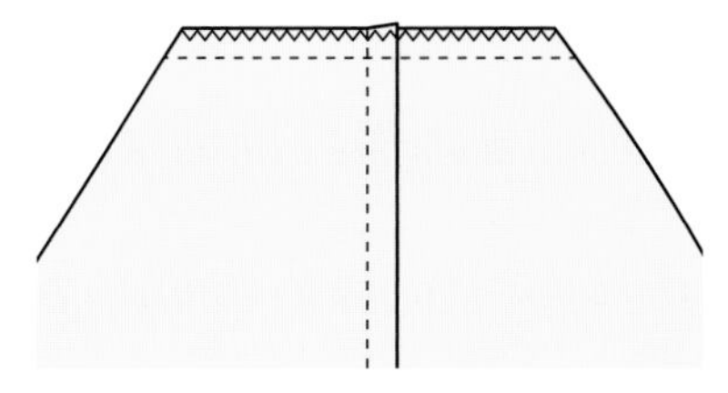

12. Volver la bolsa del derecho, sacando bien las esquinas de la cremallera y las de abajo a caja. Para terminar, añadir un tirador con un resto de tela o una cinta.

Neceser con bloques de color

Cosido y acolchado por Molly Hanson.

Este es el modelo de neceser con cremallera que más me gusta. Su forma de caja es muy bonita y resulta muy práctico. Además, ¿qué me dices del asa del costado para llevarlo? ¡Me encanta! Este neceser es también un regalo agradecido. Compleméntalo con unos artículos de baño y ya tienes un obsequio que agradará a un amigo o a una amiga. Hazlo más pequeño y se convertirá en un llamativo estuche de lápices. Rellénalo de rotuladores o lápices de colores, añádele un cuaderno y tienes un regalo perfecto para un artista en ciernes. ¿Te he vendido bien el artículo? ¡Pues manos a la obra!

TAMAÑO TERMINADO

10" x 6" x 4"

MATERIALES

Las cantidades son para telas de 42" de ancho.

- 1 pieza de 11½" x 15½" de amarillo liso y de azul liso para el exterior de la bolsa
- 2 piezas de 12" x 16" de tela para el forro
- 1 pieza de 4" x 8" de amarillo liso para el asa
- 1 pieza de 2½" x 4" de amarillo liso para el tirador
- 2 piezas de 12" x 16" de guata termoadhesiva
- 1 pieza de 2" x 8" de guata termoadhesiva
- Cremallera de poliéster de 14" a juego con una tela de la bolsa

INSTRUCCIONES

1. Poner el rectángulo amarillo encima del azul y casar los bordes. Hacer una marca a 2" de la esquina superior izquierda, como en el diagrama. Hacer otra marca a 2" de la esquina inferior derecha. Alinear el borde de una regla con las marcas y cortar las dos capas siguiendo el borde de la regla.

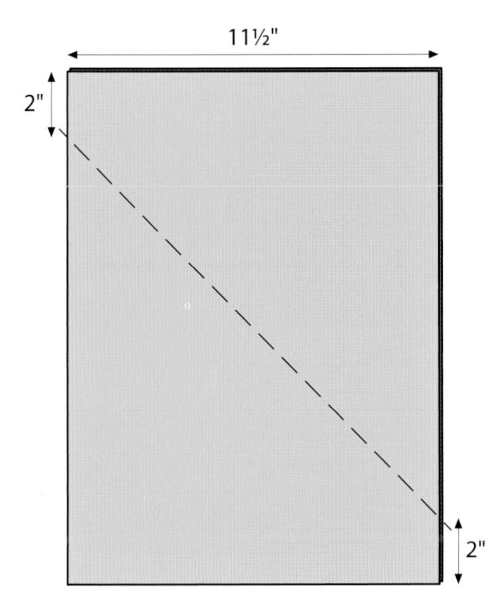

2. Volver a colocar las piezas, ahora con la azul encima. Coser una pieza con otra para hacer un bloque bicolor. Planchar la costura abierta. Realizar un segundo bloque bicolor.

3. Siguiendo las instrucciones del fabricante, pegar la pieza de guata termoadhesiva de 12" x 16" sobre el revés de uno de los bloques bicolores. Rociar el otro lado de la guata con adhesivo en spray y pegarla con una pieza de forro. Repetir para pegar el otro bloque con la guata y esta con el forro.

4. Acolchar siguiendo el mapa de acolchado.

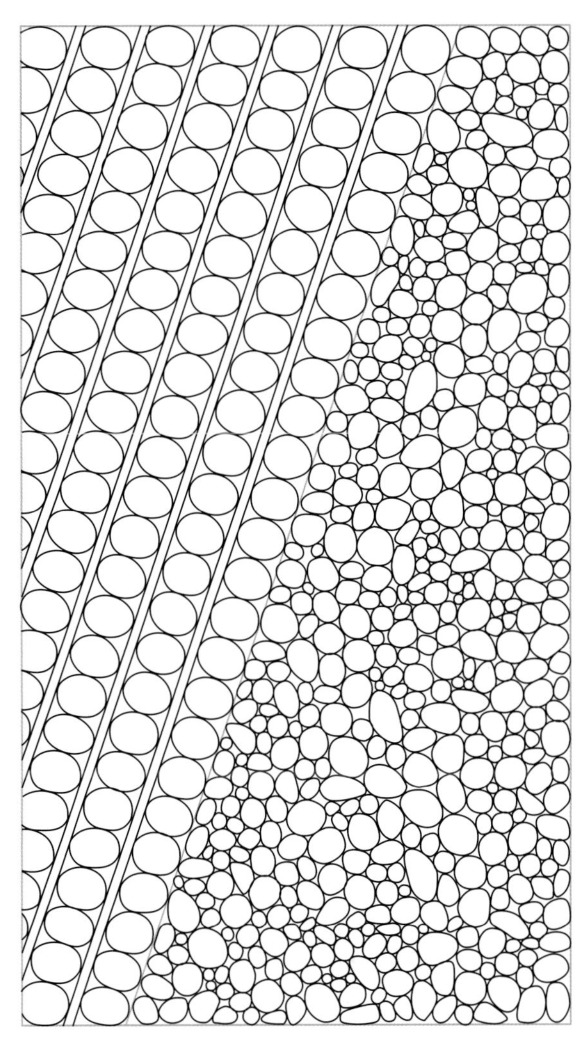

Mapa de acolchado.

5. Recortar y cuadrar los bloques acolchados para que midan 10½" x 14½". Coser un zigzag por los bordes de los dos bloques acolchados.

6. Para hacer las asas, planchar la pieza amarilla de 4" x 8" doblada a lo largo. Desdoblarla y pegar la pieza de guata de 2" x 8" en el centro de la pieza amarilla, guiándose por el doblez. Doblar los bordes largos de la pieza amarilla sobre la guata y volver a doblar por la mitad siguiendo el primer doblez. Planchar. Hacer una costura a ⅛" de los bordes doblados. Alinear el borde del prensatelas con una línea de costura anterior y hacer otras líneas de costura.

7. Doblar la pieza amarilla de 2½" x 4" por la mitad a lo largo, revés con revés. Desdoblar, doblar los cantos de la pieza hasta el centro y planchar. Volver a doblar por el doblez central y planchar. Doblar la pieza por la mitad para crear un tirador de ⅝" x 2" para la cremallera.

Hacer una costura a ⅛" de los bordes cosidos. Poner la tira en un extremo de la cremallera, como en el diagrama. Prenderla y coser un pespunte en la tira a ⅛" del borde doblado.

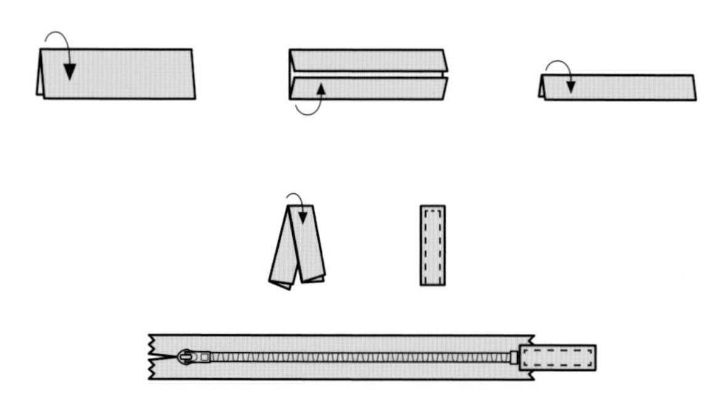

8. Poner un bloque acolchado sobre una superficie lisa, con el derecho hacia arriba y un borde amarillo de 14½" arriba. Poner la cremallera cerrada, con el revés hacia arriba, en la parte de arriba del bloque, alineando los bordes superiores. Ver Cremalleras, página 93, para coser la cremallera con el bloque. Planchar y hacer una costura de sobrecarga a ⅛" de la costura.

9. Repetir para coser el borde amarillo del otro bloque acolchado al otro lado de la cremallera, asegurándose de alinear los laterales de los dos bloques.

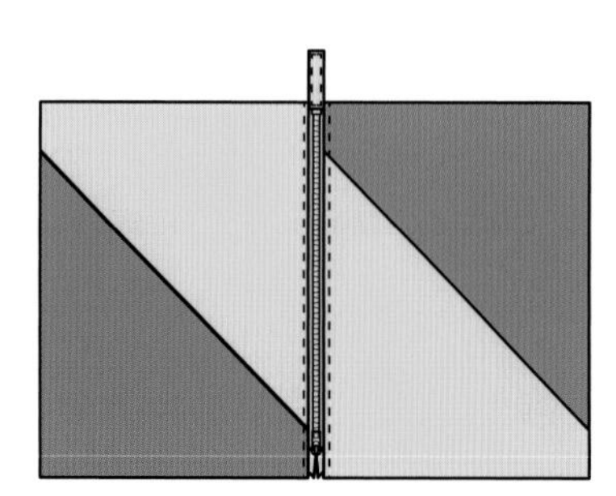

10. Abrir la cremallera hasta la mitad. (Habrá que volver la bolsa del derecho por la cremallera abierta). Con el forro hacia fuera, alinear los cantos de los lados y los de abajo y prenderlos en su sitio. Hacer una costura por el borde inferior del neceser, dejando un margen de costura de ¼".

11. Poner la costura de abajo encima de la cremallera y coser los laterales del neceser.

12. Para hacer las esquinas a caja, realizar unas marcas a 2" de cada esquina, en ambos lados. Recortar el cuadrado de las esquinas.

13. En una esquina, prender un canto con otro. Hacer la costura dejando un margen de ¼". Coser un zigzag sobre los cantos para que no se deshilen. Repetir doblando a caja la otra esquina del fondo del neceser.

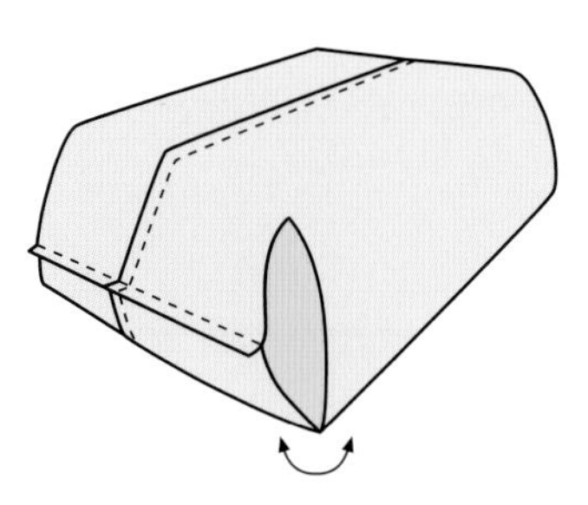

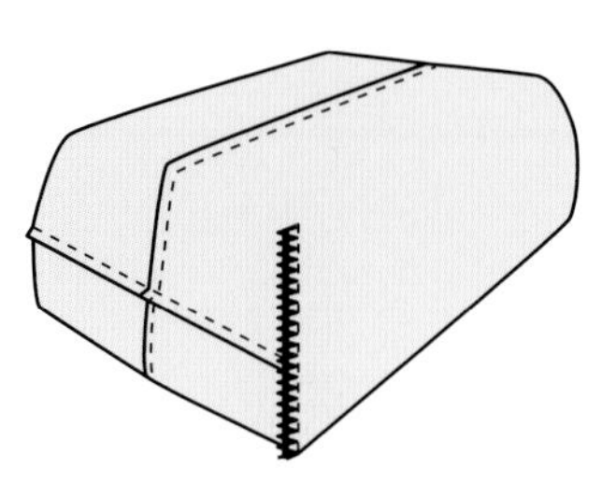

14. Insertar el asa en el otro extremo del neceser, como se indica. Alinear los cantos y coserlos uno con otro, pillando el asa en la costura. Repetir el proceso en la última esquina, asegurándose de que el otro extremo del asa quede pillado en la costura.

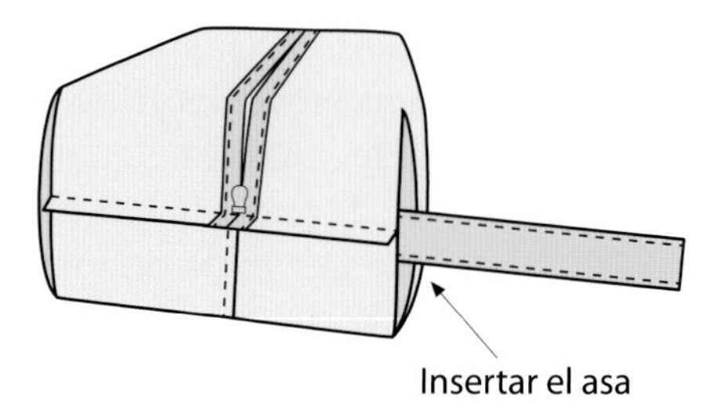

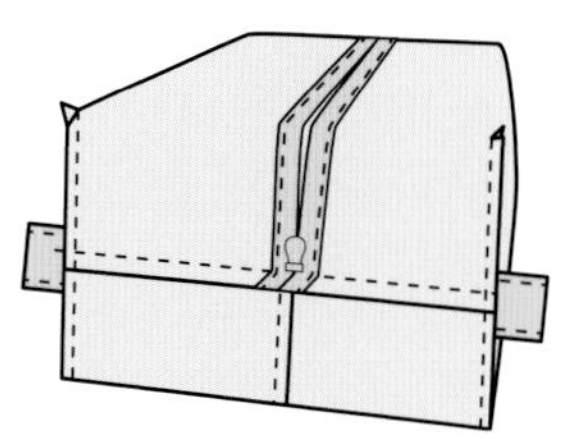

15. Volver el neceser del derecho y empujar bien todas las esquinas.

Meandros cuadrados

Los meandros cuadrados son parecidos a los curvos. Este dibujo es muy apropiado para proyectos masculinos y aporta un toque moderno a cualquier labor. Al igual que con los meandros curvos, se deben seguir dos reglas clave al realizar este acolchado. Lo primero y principal es no cruzar líneas de costura anteriores. Un buen acolchado en meandros no lleva cruces ni intersecciones. Para evitar cruzar sobre una línea de costura anterior, hay que pensar bien dónde se ha acolchado y prever por dónde hay que seguir. La segunda regla es acolchar en ángulos rectos, como en un puzle de crucigrama o en el Tetris. Debe quedar un dibujo como de bloques.

Seguir estas dos reglas y rellenar los espacios de forma consistente y regular; al mismo tiempo, centrarse en el dibujo. Recomiendo rellenar varias hojas del cuaderno con dibujos de meandros cuadrados antes de pasar a coserlos. Prueba a seguir el dibujo en papel cuadriculado para guiarte las primeras veces. Si no te quedan ángulos de 90º perfectos y las líneas son un poquito curvas, no te preocupes. Este dibujo le resulta más fácil a unas personas que a otras. Personalmente, se me dan mejor las líneas curvas y fluidas, por lo que este diseño no me resulta sencillo, pero sigo practicándolo. Y con la práctica he mejorado. ¡Tú también lo harás!

INSTRUCCIONES

1. Preparar la máquina siguiendo los Cinco pasos de preparación para acolchar en movimiento libre, página 21, y preparar un cuadrado de prácticas.
2. Asegurándose de tener las manos colocadas en el lugar adecuado para controlar la tela al máximo, dar despacio cinco o seis puntadas en el mismo sitio antes de coser una línea recta de 1" hacia la derecha. Dar unas puntadas en el sitio (para que las esquinas queden en ángulo en lugar de redondeadas) y coser luego una línea recta de ½" hacia abajo. Parar y dar unas puntadas en el sitio y, a continuación, coser una línea recta de ½" hacia la derecha.

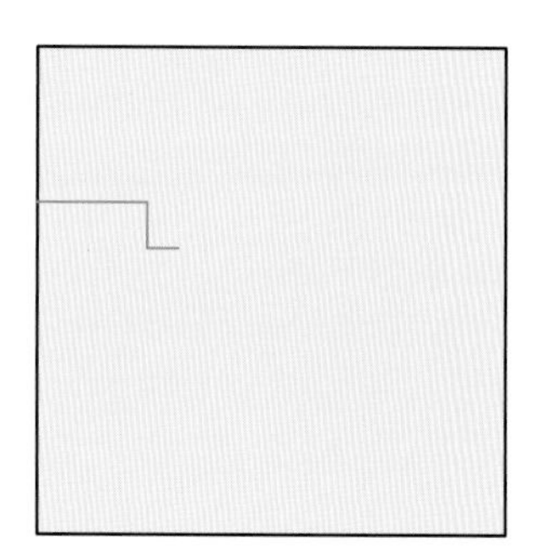

3. Dar de nuevo unas puntadas en el mismo sitio y luego seguir hacia arriba 1". Dar unas puntadas en el mismo sitio antes de seguir cosiendo 1" hacia la izquierda. Dar unas puntadas en el mismo sitio y seguir cosiendo ½" hacia arriba.

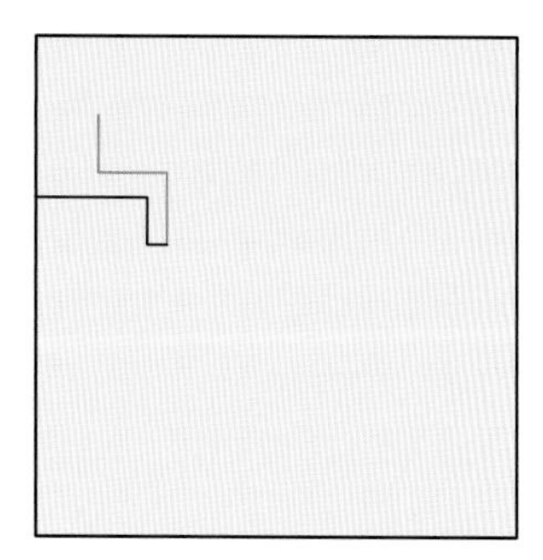

4. De igual manera, coser ½" hacia la izquierda, luego ½" hacia arriba y después 1" hacia la derecha, asegurándose de dar unas puntadas en el sitio en cada esquina.

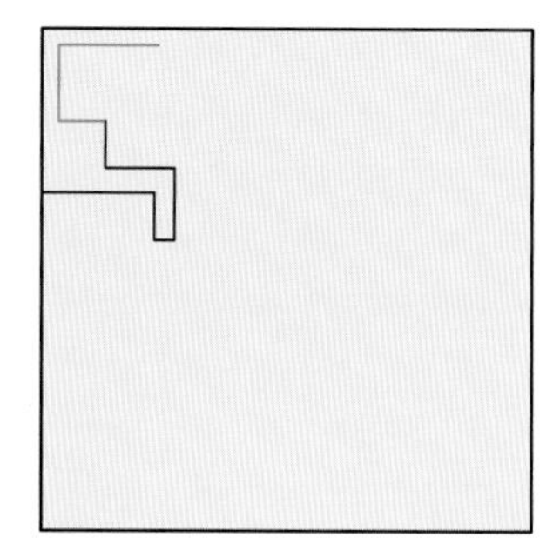

5. Seguir así, utilizando ½" como escala y realizando movimientos casi robóticos. Parar y dar unas puntadas en el sitio en cada esquina; comprobar con frecuencia que el espacio queda relleno de manera uniforme.

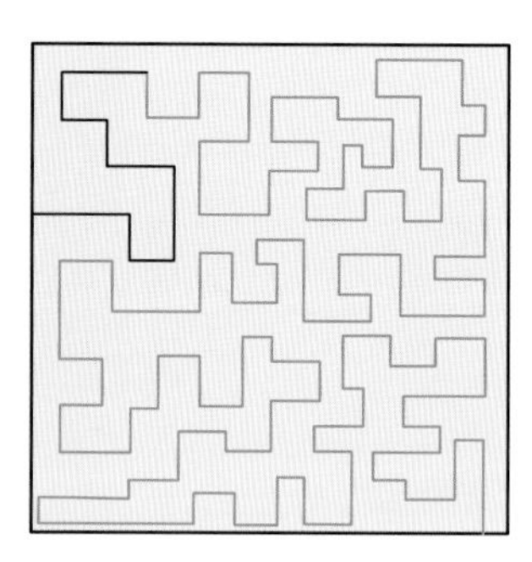

Practicar para perfeccionar

Rellena el cuadrado de prácticas y obsérvalo. ¿Qué partes quedan bien y cuáles no? ¿Te resulta más fácil coser en unas direcciones que en otras? Piensa en ajustar el mapa de acolchado para que la próxima vez puedas desplazar la pieza en las direcciones en que te sea más fácil acolchar. Piensa también en rellenar más hojas del cuaderno con dibujos de meandros cuadrados. Cuando los dibujos queden bien, sean regulares y fáciles de hacer sin mucho cavilar o con paradas y arranques, prepara otro cuadrado de prácticas. Te sorprenderá la diferencia entre el primer cuadrado y el segundo; ¿ves lo mucho que has mejorado repitiendo los dibujos? En Manteles individuales, ver página 48, se utiliza este estilo de acolchado junto con el siguiente modelo de Cuadrados imbricados de la página 45. ¡Ya puedes continuar y aprender a acolchar cuadrados imbricados!

Cuadrados imbricados

Estos cuadrados imbricados son un diseño fácil y divertido que he adaptado de distintas variaciones de modelos de cajas dentro de cajas. Es un dibujo bastante sencillo de coser y queda muy bonito en bordes. También se puede utilizar para rellenar un fondo, logrando un aspecto angular y moderno. Este acolchado se clasifica como de relleno de borde a borde y lo he empleado en Manteles individuales, ver página 48, como relleno del fondo. Es un poco complicado de utilizar de borde a borde porque no existen necesariamente líneas rectas que guíen para que queden líneas angulares y alineadas. Si para ti es importante mantener las costuras perfectamente rectas, puedes dibujar unas líneas a intervalos de 2" para guiarte. Como siempre, dibujar el modelo una y otra vez ayuda mucho al acolchar. Con este dibujo siempre hago costura de izquierda a derecha y luego vuelvo cosiendo sobre la línea inferior recién cosida para regresar a la izquierda y empezar otra fila.

Recorrer costuras

Para este diseño hay que recorrer una costura, lo que significa que se debe acolchar encima de líneas ya acolchadas para pasar de una zona a otra. Esto supone que se necesita practicar mucho. Esta técnica es esencial en el acolchado en movimiento libre y mejora con la práctica.

Tanto recorrer una costura como acolchar sobre costuras se debe hacer despacio y con cuidado. Si se cose a velocidad de caracol se ve que no es difícil en absoluto. Recordar reducir la velocidad de las manos, además de la de la máquina, para sincronizarlas. Al empezar, procurar no centrarse en hacer todas las líneas rectas; lo que hay que tratar es de dominar la costura sobre costura a paso lento y sentir el movimiento de izquierda a derecha en una dirección fija. Incluso con líneas irregulares, este diseño queda muy bonito, moderno y divertido. Así es que ¡tómatelo con calma, dibuja mucho y diviértete con él!

INSTRUCCIONES

1. Preparar la máquina siguiendo los Cinco pasos de preparación para acolchar en movimiento libre, ver página 21, y preparar un cuadrado de prácticas.
2. Antes de practicar este modelo es fundamental preparar debidamente el cuadrado de prácticas. Este diseño se compone de "muros de cimentación", por eso es necesario definir una zona de acolchado. Para crear la zona de acolchado, dibujar una línea a 1" de cada borde del cuadrado de prácticas y coser sobre las líneas dibujadas para formar un cuadrado. Si se desea, se puede dibujar otra cuadrícula a 2" por dentro del cuadrado recién cosido para que resulte más fácil trazar un dibujo regular.
3. Empezando a 2" de la esquina de arriba a la izquierda del cuadrado, hacer una costura de 2" hacia la derecha, parar para dar unas puntadas en el sitio y fijar la esquina y después coser 2" hacia arriba para formar un cuadrado.

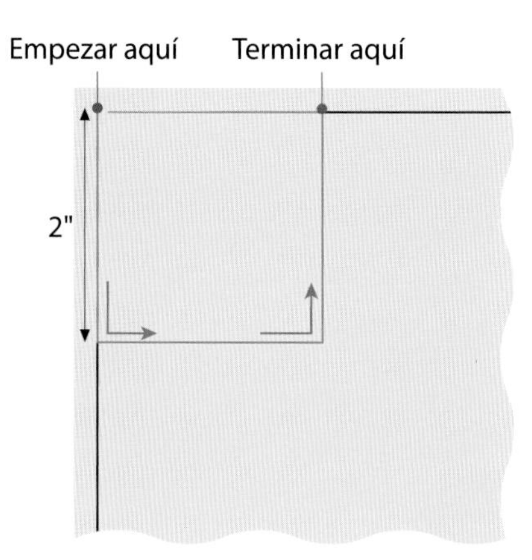

4. Recorrer la costura anterior, en la parte de arriba del cuadrado, para volver a la esquina de la izquierda. Trabajar lentamente y sin prisa. En la esquina de la izquierda dar unas puntadas en el sitio antes de hacer una costura hacia abajo de ½" por el lateral del cuadrado. Dar unas puntadas en el sitio, coser ½" hacia la derecha y volver a dar unas puntadas en el sitio antes de seguir hacia arriba para cerrar el cuadrado.

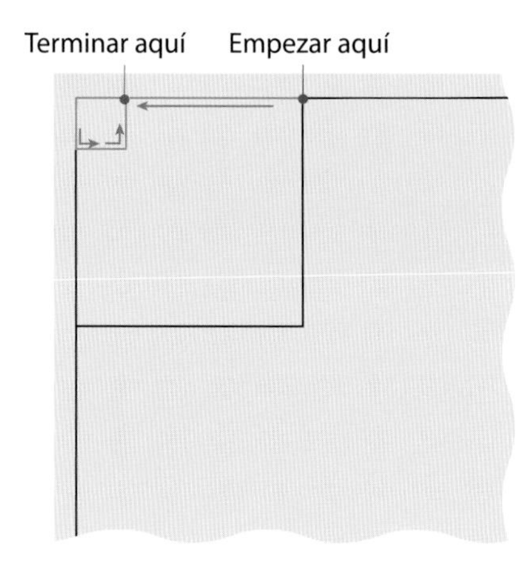

5. Recorrer la costura de arriba hacia la esquina de la izquierda, dar unas puntadas en el sitio y bajar cosiendo 1" por el lado izquierdo del cuadrado. Dar unas puntadas en el sitio antes de subir cosiendo 1" para cerrar el cuadrado. De igual manera, recorrer la costura de arriba y bajar luego 1½" por el lado izquierdo. Coser 1½" hacia la derecha y después hacia arriba para cerrar el cuadrado, asegurándose de dar unas puntadas en el sitio en cada esquina.

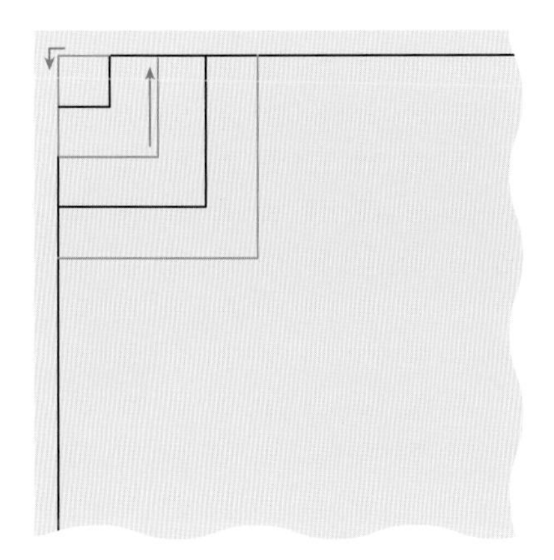

6. Seguir así, rellenando cuadrados de 2" en el cuadrado de prácticas. Se puede empezar en cualquier esquina, seguir con ella o cambiar de esquina.

7. Observar el cuadrado de prácticas y estudiar las zonas que han quedado bien y las que no están bien. ¿Has logrado mantener la escala en el dibujo? ¿Te ayudaría disponer de más marcas para empezar?

8. Repite el dibujo todas las veces que puedas, asegurándote de no levantar nunca el lápiz del papel, igual que si estuvieras cosiendo. Con papel cuadriculado te resultará más fácil al principio, pero una vez domines el dibujo en papel cuadriculado, practica en hojas blancas también. De ese modo adquirirás la suficiente memoria muscular antes de acolchar el dibujo. No olvides comparar el segundo cuadrado de prácticas con el primero para comprobar cómo mejoras.

Variar la práctica

Trata de dibujar y acolchar este modelo con cuadrícula marcada y sin ella. El dibujo acolchado en movimiento libre sin cuadrícula marcada da a la labor un aspecto más orgánico y original, mientras que la versión marcada proporciona una apariencia más moderna.

Manteles individuales

Cosido y acolchado por Molly Hanson.

Siempre me ha gustado el dibujo de acolchado Dresden Plate. ¡Es un modelo tan clásico y con tantas opciones para personalizarlo! Quise crear mi propia versión del Dresden Plate para que representara una vajilla moderna y creo que lo logré. También pensé que mostrar ese motivo en pequeñas piezas individuales daría al mantel un aspecto más caprichoso y divertido. ¿Estás lista para hacer tu propio juego de manteles individuales?

TAMAÑO TERMINADO

12" x 18"

MATERIALES

Las cantidades son para telas de 42" de ancho y son suficientes para 2 manteles individuales.

½ yarda de estampado rojo para el fondo

½ yarda de blanco liso para el Dresden Plate

½ yarda de tela rosa de lunares para el Dresden Plate y el ribete

⅛ de yarda de estampado rosa en zigzag para el Dresden Plate

½ yarda de tela para la trasera

1 pieza de 14" x 40" de guata

½ yarda de fliselina termoadhesiva con papel

Plástico para plantillas

Opcional: regla Easy Dresden de Darlene Zimmerman (o cualquier regla para Dresden Plate que corte 20 pétalos para formar un círculo completo)

CORTAR

Del estampado rojo, cortar:
2 rectángulos de 12½" x 18½"

De la tela rosa de lunares, cortar:
1 tira de 2" x 42"
4 tiras de 2½" x 42"

De la tela con estampado rosa en zigzag, cortar:
1 tira de 2" x 42"

De la tela blanco liso, cortar:
3 tiras de 1½" x 42"
1 tira de 6½" x 42"

De la tela para la trasera, cortar:
2 piezas de 14" x 20"

De la guata, cortar:
2 piezas de 14" x 20"

INSTRUCCIONES

1. Unir las tiras blancas de 1½" de ancho con la tira rosa de lunares de 2" y la tira con estampado rosa en zigzag por sus bordes largos para formar un juego de tiras. Planchar con cuidado las costuras abiertas para reducir volumen.

2. Utilizar el patrón de la página 50 y plástico para plantillas para hacer la plantilla de una pieza decorada. Con esta plantilla, o con la línea de 6½" en la regla Dresden, cortar diez piezas del juego de tiras, girando la plantilla o la regla después de cada corte, como indica el diagrama. (Si la regla no tiene una línea de 6½", medir 6½" desde abajo de la regla y marcar ese punto con cinta de pintor). Separar las piezas en dos grupos de cinco elementos a juego. En uno habrá una tira rosa con lunares arriba y en el otro, una tira con estampado rosa en zigzag.

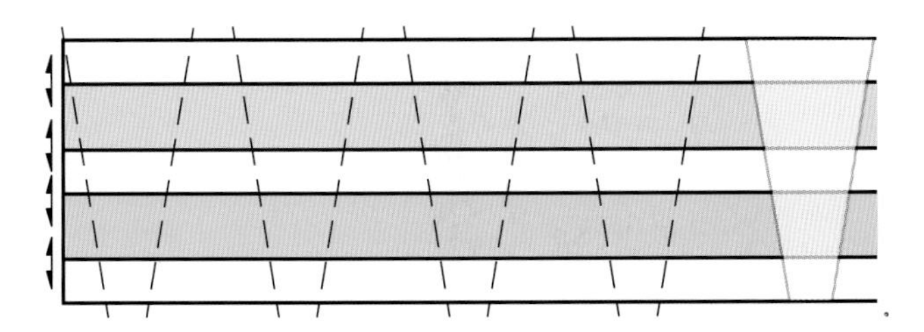

3. Cortar otras diez piezas de la tira blanca de 6½" de ancho, girando la plantilla o la regla después de cada corte.

4. Para formar la pieza completa en forma de abanico, colocar alternando una pieza del juego de tiras y otra blanca, como en el diagrama, situándolas de manera que los bordes superiores de todas ellas queden alineados. No hay que preocuparse por el borde inferior porque luego quedará tapado con el círculo central. Planchar con cuidado las costuras abiertas.

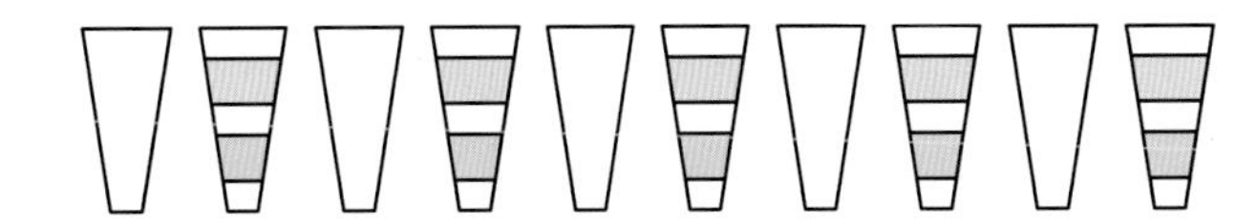

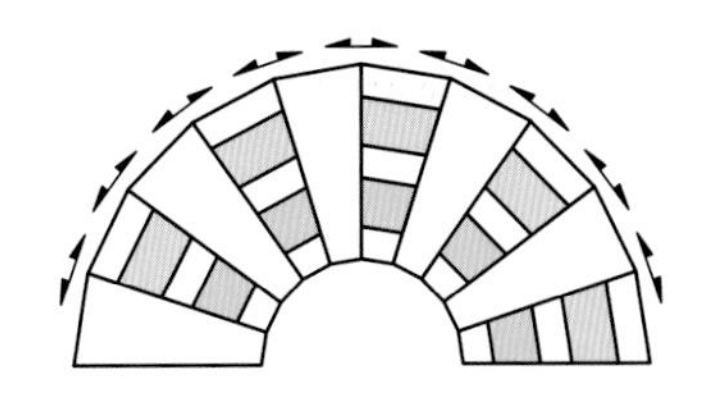

5. Siguiendo las instrucciones del fabricante, aplicar fliselina termoadhesiva sobre el revés de la pieza en forma de abanico o medio plato. Colocarla sobre el borde largo de un rectángulo rojo, alineando los cantos. Cortar un pequeño triángulo del abanico. Pegar el abanico en su sitio y pegar también el pequeño triángulo, a ½" de su sitio original.

6. Repetir los pasos 4 y 5 para hacer el top del segundo mantel individual.

7. Utilizando el patrón de la página 50, dibujar un círculo sobre el lado de papel de la fliselina termoadhesiva. Pegar el disco de fliselina sobre un trozo de tela blanca y recortar el disco. Cortar el disco por la mitad. En el top de cada mantel, colocar el medio disco sobre la base de la pieza en abanico, tapando los cantos inferiores, y pegarlo con la plancha.

8. Hacer un pespunte a ⅛" de los bordes exteriores del plato y del círculo central. Si no, se puede hacer un zigzag o un festón para fijar las aplicaciones.

9. Montar el top de cada mantel individual con guata y trasera; hilvanar utilizando el método que se prefiera. Me gusta más rociar de pegamento las labores pequeñas. Ver Hilvanar, en la página 13, si hiciera falta.

10. Siguiendo los dibujos de cajas imbricadas y de meandros cuadrados, acolchar cada mantel como se ve en el mapa de acolchado. Se puede empezar y terminar donde se prefiera.

Mapa de acolchado.

11. Recortar la guata y la trasera a ras del top de los manteles. Siguiendo Ribetear, ver página 94, utilizar las tiras rosas de lunares de 2½" de ancho para ribetear los bordes.

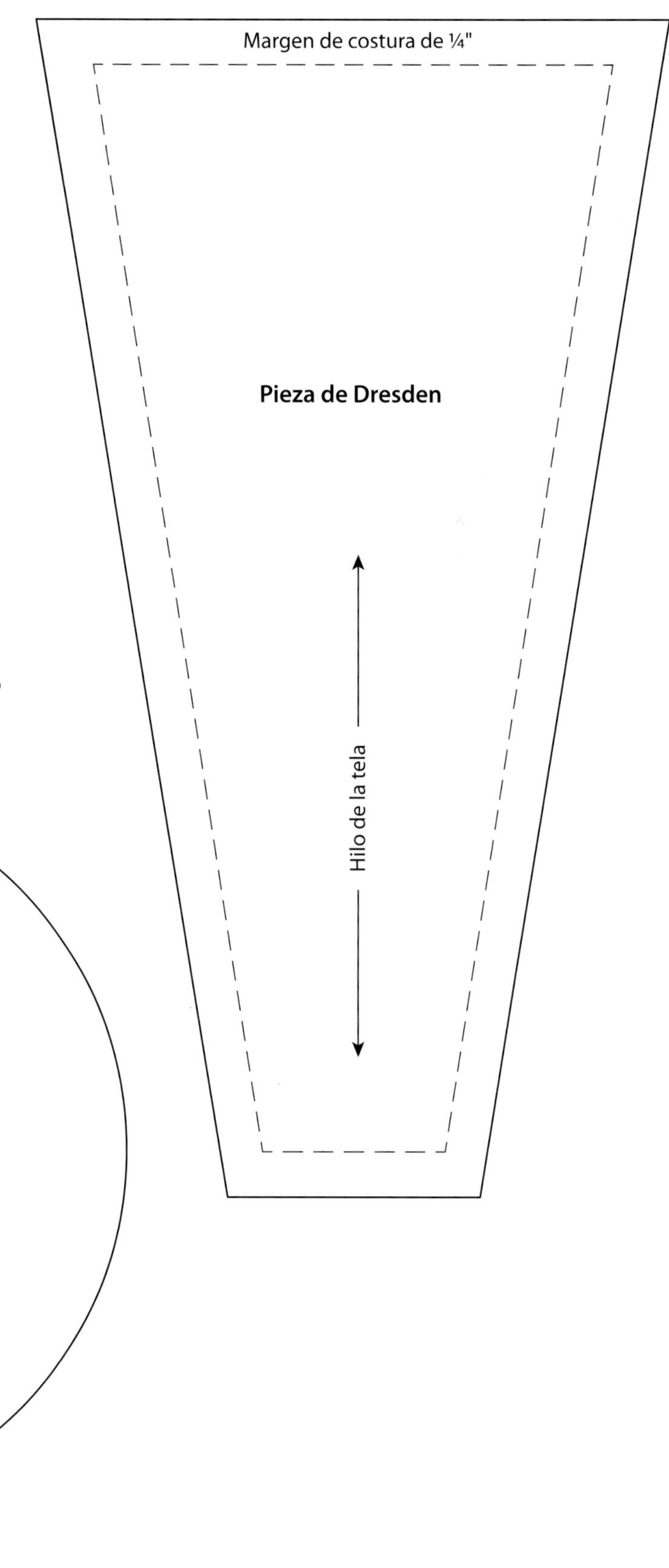

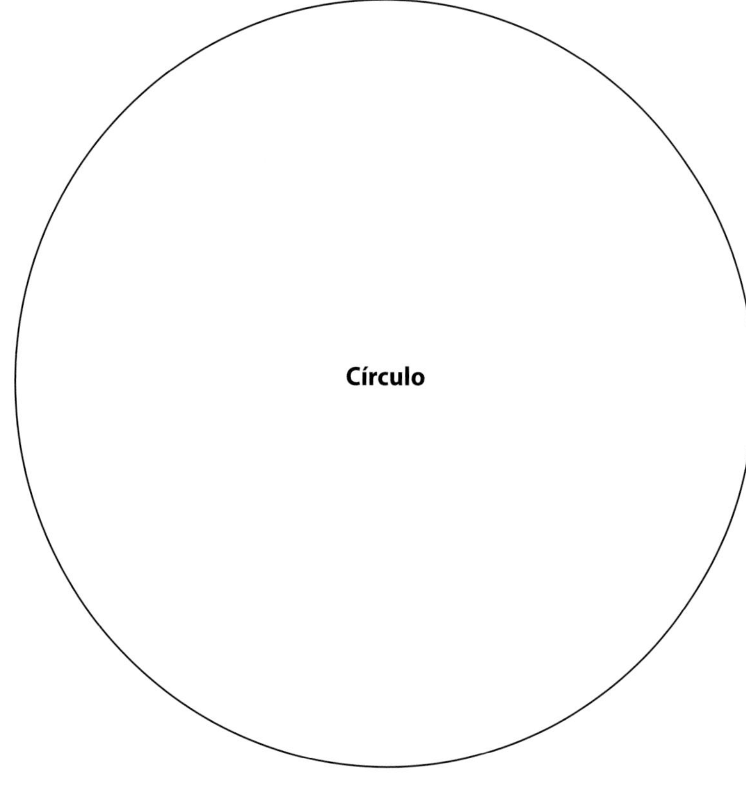

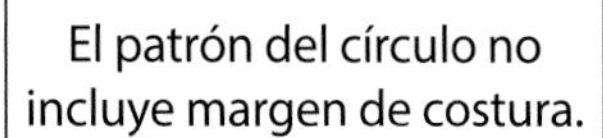
El patrón del círculo no incluye margen de costura.

Camino de mesa *bon appétit*

Aplicado y acolchado por Molly Hanson.

TAMAÑO TERMINADO

15½" x 40"

MATERIALES

Las cantidades son para telas de 42" de ancho. Un Fat Quarter mide 18" x 21".

½ yarda de estampado rojo para el fondo

1 Fat Quarter de blanco liso para las letras de aplicación

¼ de yarda de rosa con estampado en zigzag para el ribete

½ yarda de rosa estampado para la trasera

1 pieza de guata de 17½" x 42"

½ yarda de fliselina termoadhesiva con papel

El mejor complemento para un juego de manteles individuales es un camino de mesa. Cuando diseñaba este camino de mesa pensaba en Janine, la tía de mi chico. La asociaba con una comida maravillosa porque nos sirvió la mejor que haya tenido yo el placer de degustar. Janine vive en Bélgica y habla francés. Cada vez que nos sentamos a la mesa, dice: *bon appétit*, con los ojos brillantes. Le apasiona tener gente a comer; es su manera de demostrar cariño. Creo que le regalaré este camino de mesa, porque a mí me apasionan las labores acolchadas y regalarlas a familiares y amigos es mi forma de demostrar el cariño.

CORTAR

Del estampado rojo, cortar:
1 tira de 15½" x 40"

Del rosa estampado, cortar:
1 pieza de 17½" x 42"

Del rosa con estampado en zigzag, cortar:
3 tiras de 2½" x 42"

LETRAS DE APLICACIÓN

Realicé las letras en el ordenador utilizando Word. Seleccioné la fuente Georgia en tamaño 320 (hay que teclear 320 de forma manual) y luego seleccioné cursiva. Una vez ajustada la fuente, escribí la frase que quería. Antes de imprimir, indiqué la orientación del papel para imprimir varias letras en cada hoja.

1. Imprimir las letras sobre papel blanco y recortarlas con cuidado. Hacerlo despacio porque la precisión es la que marca la diferencia en las aplicaciones de cantos sin rematar.
2. Colocar las letras sobre la tela blanco liso para determinar cuánta tela se necesita. Siguiendo las instrucciones del fabricante, aplicar fliselina termoadhesiva sobre el revés de la tela blanca, cubriendo la zona predeterminada. No retirar el papel.
3. Rociar ligeramente de pegamento el dorso de todas las letras de papel y pegarlas sobre el derecho de la tela blanca con fliselina. Si no se desea utilizar pegamento en spray, colocar las letras sobre la tela con el lado impreso hacia abajo e invertidas. Dibujar las letras sobre el lado de papel de la fliselina pegada a la tela.
4. Recortar las letras y retirar el papel de la fliselina.

MONTAJE

1. Doblar la tira roja por la mitad, primero en vertical y después en horizontal. Con cuidado, planchar los dobleces para marcar las líneas de centrado. Centrar las letras sobre la tira roja y pegarlas en su sitio.
2. Montar el top del camino de mesa con la guata y la trasera; hilvanar con el método que se prefiera. Me gusta utilizar spray para las labores pequeñas. Ver Hilvanar, página 13, si fuera necesario.
3. Acolchar el camino de mesa como se indica en el mapa de acolchado, más abajo. Se puede empezar y terminar donde se desee.
4. Recortar la guata y la trasera a ras del top del camino de mesa. Ver Ribetear, página 94, y utilizar las tiras de estampado en zigzag de 2½" de ancho para ribetear los bordes.

Mapa de acolchado.

Cachemir

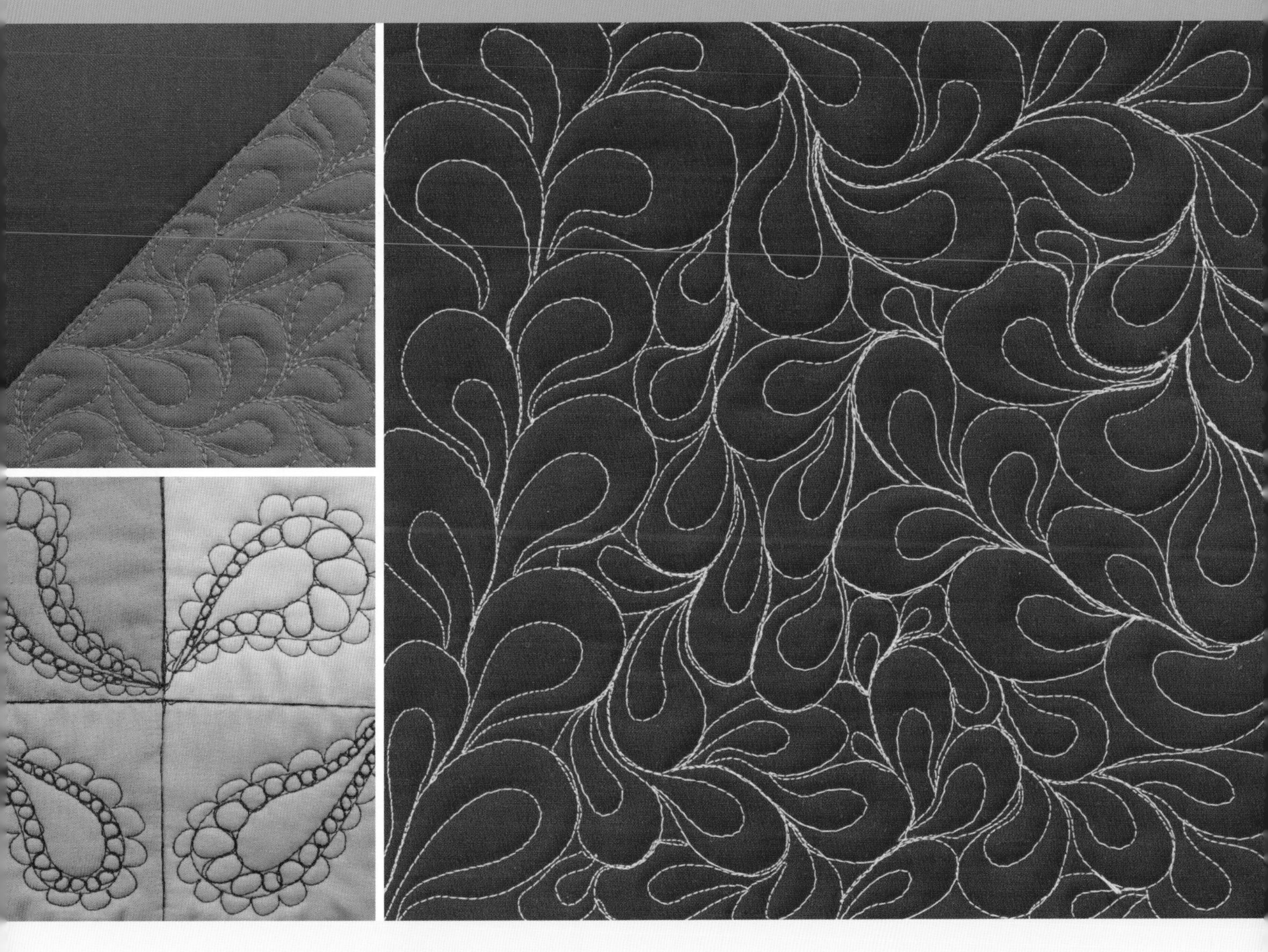

El cachemir es un diseño clásico con raíces antiguas. Procede originariamente de Persia y se hizo popular cuando las alfombras persas inundaron los mercados europeos. Este diseño se ha representado en toda clase de objetos, desde bufandas y corbatas de seda hasta cortinajes y alfombras y es tal su implantación que seguramente vale la pena conocerlo. El acolchado de cachemir se forma repitiendo figuras básicas de lágrimas e imbricándolas para cubrir una zona. Es un diseño que me resulta relajante para acolchar y dibujar. Me gusta el reto que supone encajar las formas como en un puzle. Se puede acolchar sobre costuras anteriores para pasar de una zona a otra, lo que resulta práctico. El cachemir es también un diseño que destaca y realza los motivos, como demuestra el Tote bag morado con cachemir de la página 55.

INSTRUCCIONES

1. Preparar la máquina siguiendo Cinco pasos de preparación para acolchar en movimiento libre, ver página 21, y preparar un cuadrado de prácticas.
2. Asegurándose de tener las manos bien colocadas para controlar la tela al máximo, dar cinco o seis puntadas en el sitio antes de coser despacio una lágrima de 1" de largo.

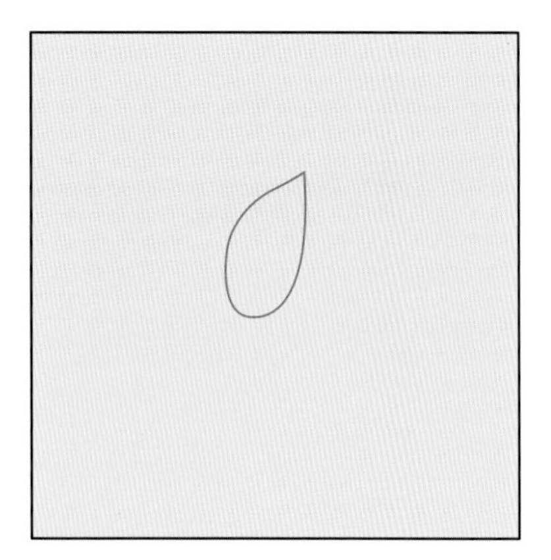

3. Al volver al punto donde se empezó, comenzar inmediatamente a formar una lágrima de 1½" de largo.

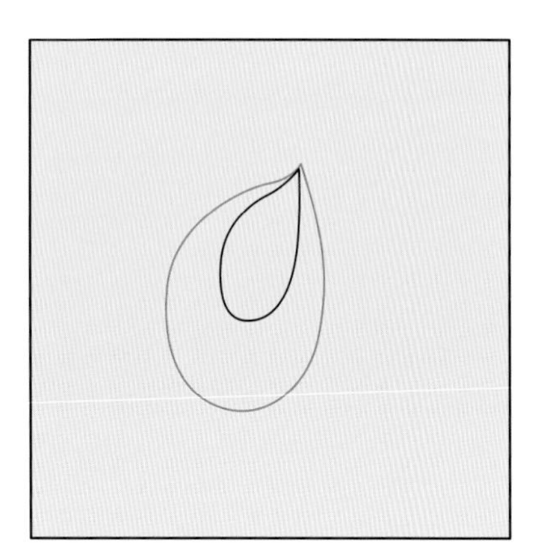

4. De vuelta al punto de inicio, acolchar otra lágrima más pequeña a la derecha de la que se acaba de coser, dejando un pequeño espacio entre las figuras para hacer una lágrima de mayor tamaño. Realizar esta alrededor de la pequeña, procurando coser junto a la línea de costura, o encima de ella.

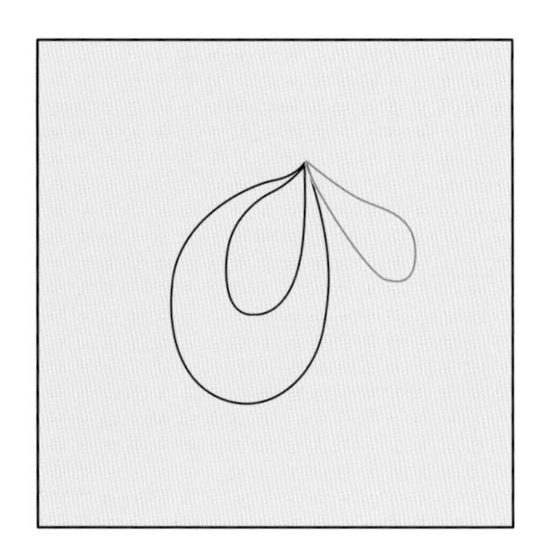

5. De igual manera, acolchar una lágrima pequeña y luego otra grande entre las dos primeras, como en el diagrama.

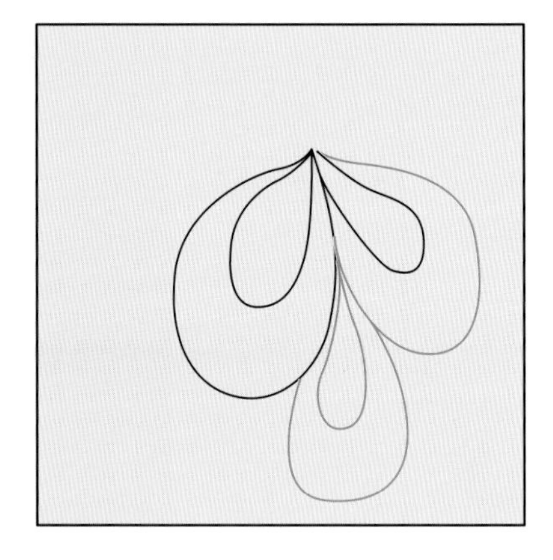

6. Seguir formando figuras de lágrimas en todas direcciones para rellenar el espacio. Es típico del cachemir variar el tamaño, pero conviene mantenerlo siempre a la misma escala relativa (no menos de ½" ni más de 2½").

Cachemir y ángulos

Cuando se aprende el acolchado en movimiento libre, hay algo que a unas personas les resulta más fácil que a otras y es elegir el dibujo de acolchado. Siempre he disfrutado escogiendo los motivos y me gusta dibujarlos encima de los bloques para poder juzgar el resultado. Dibujando y acolchando me he dado cuenta de que los dibujos de cachemir siempre quedan muy bonitos en bloques con muchos triángulos. Es fácil empezar el dibujo en una esquina y salir de ella, por eso lágrimas y ángulos casan bien. La próxima vez que elijas un dibujo para un bloque de quilt con muchos triángulos, ¡acuérdate del cachemir!

Tote bag morado con cachemir

Cosido y acolchado por Molly Hanson.

TAMAÑO TERMINADO

15" x 18"

MATERIALES

Las cantidades son para telas de 42" de ancho. Un Fat Quarter mide 18" x 21".

15 tiras de 3½" x 21" de telas lisas moradas coordinadas para el exterior de la bolsa

½ yarda de tela para el forro

1 Fat Quarter de morado oscuro liso para el asa y el ribete

2 piezas de 16" x 19" de guata termoadhesiva

1 pieza de 2" x 21" de guata termoadhesiva

Nunca se tienen suficientes tote bags, sobre todo si están acolchados e incluyen guata. Esta bolsa tiene el tamaño perfecto para llevar libros o un ordenador portátil. Me hice una hace años y es la que más utilizo. Además, llevar esta bolsa te ofrece la oportunidad de compartir con el mundo entero tu pasión por el acolchado. En esta se emplean 15 tonos distintos de morado (¿y por qué no?). Se puede jugar solo con dos colores o con todos los recortes que se tengan y lograr un efecto estupendo. Con tal de que se practique mucho el acolchado, ¡lo demás es perfecto!

INSTRUCCIONES

1. Unir tres tiras moradas al azar por sus bordes largos, como en el diagrama, para formar un juego de tiras. Planchar los márgenes de costura en una dirección. Hacer cinco juegos de tiras. Cortar cuatro segmentos de 3½" de ancho de cada juego de tiras.

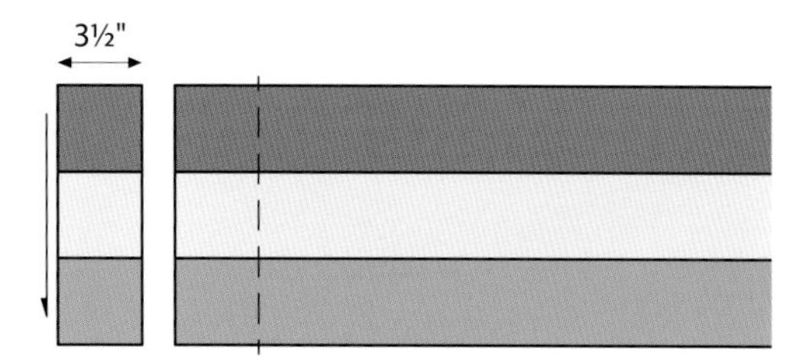

Hacer 5 juegos de tiras.
Cortar 4 segmentos de cada juego de tiras (20 en total).

2. Colocar los segmentos del paso 1 como se prefiera. Unir los segmentos para formar una unidad rectangular. Planchar los márgenes de costura en una dirección. Hacer cuatro unidades en total.

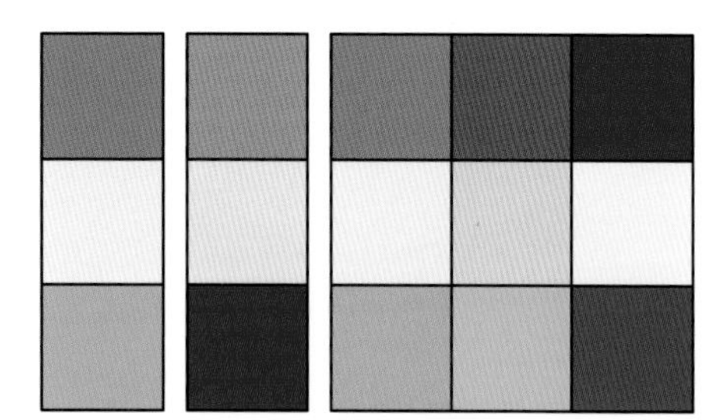

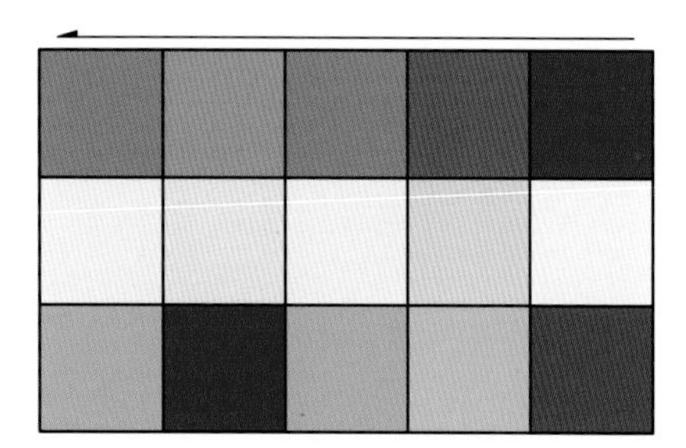

Hacer 4.

3. Coser dos unidades, una con otra, para formar el frente de la bolsa. Planchar los márgenes de costura en una dirección. Repetir para hacer el dorso de la bolsa.

Hacer 2.

4. Centrar una pieza de guata termoadhesiva de 16" x 19" sobre el revés del frente y del dorso de la bolsa y pegar con la plancha.

5. Cortar la tela del forro en dos piezas de 17" x 20". Rociar una pieza del forro y pegarla con el lado de guata del frente de la bolsa. Rociar la otra pieza del forro y pegarla sobre la guata del dorso.

6. Acolchar el frente de la bolsa como en el mapa de acolchado. Acolchar el dorso de la bolsa con el mismo diseño, u otro más sencillo de cachemir.

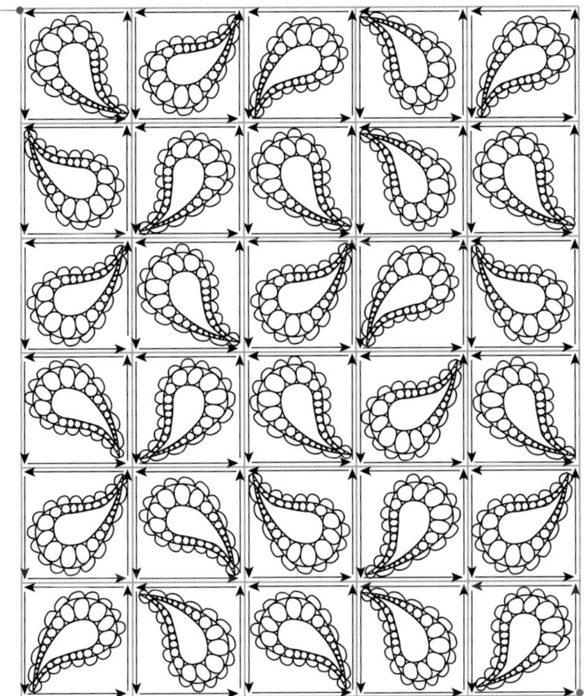

Mapa de acolchado.

7. Recortar el forro y la guata a ras de los bordes del frente y del dorso de la bolsa. Hacer un zigzag en los bordes de abajo y en los costados del frente y del dorso de la bolsa.

8. De la tela morado oscuro, cortar dos tiras de 2½" x 21". Utilizar las tiras para ribetear el borde de arriba del frente y del dorso de la bolsa, guiándose por Ribetear, ver página 94, si hiciera falta.

9. Poner, derecho con derecho, el frente de la bolsa con el dorso y prenderlos casando las intersecciones de las costuras. Dejar un margen de costura de ¼" y coser los costados y el fondo de la bolsa, empezando y terminando con un punto atrás. Volver la bolsa del derecho.

10. De la tela morado oscuro restante, cortar una tira de 5" x 21". Por el revés de esta tira y sobre un borde largo, pegar otra de 2" x 21" de guata termoadhesiva. Envolver la tira de tela sobre la guata, cubriendo los dos bordes largos. Doblar el canto hacia dentro y hacer un pespunte sobre el borde doblado. Guiándose con el borde del prensatelas, coser en el asa varias líneas rectas verticales con una separación de ¼". De este modo, el asa queda cómoda y reforzada.

11. Colocar un extremo del asa sobre la costura lateral, por el exterior de la bolsa y casando los cantos del asa con el borde inferior del ribete. Prender y coser el asa en su sitio, como en el diagrama. Volver el asa hacia arriba, cubriendo los cantos, y coserla en su sitio. Coser el otro extremo del asa al otro lado de la bolsa.

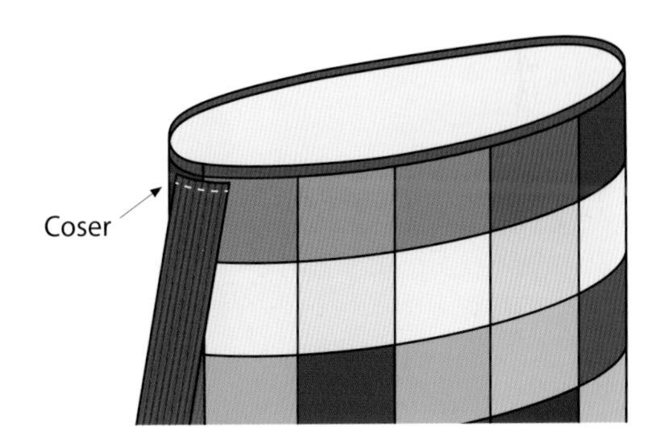

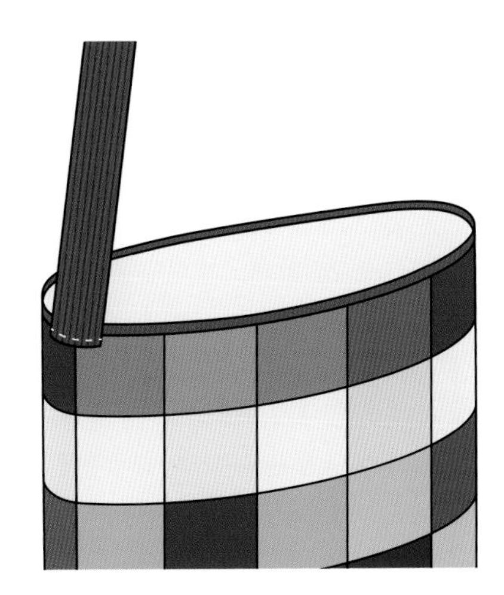

Cojín de bloque de quilt

Cosido y acolchado por Molly Hanson.

A veces, lo que más asusta a la hora de acolchar un quilt de patchwork muy bonito es precisamente empezar. En cuanto se empieza a acolchar, lo último que se desea es tener que deshacer costuras. Pero superar esos miedos es más fácil de lo que se piensa. Cuando empecé a acolchar en movimiento libre, hacía un bloque extra de cada quilt para utilizarlo como cuadrado de prueba antes de empezar el quilt grande y luego convertía el bloque acolchado en un cojín a juego para el quilt. Desde entonces lo hago siempre; la práctica genera seguridad y me da la oportunidad de tener más ideas. Aquí he elegido un bloque Pinwheel (Molinillo) porque queda muy bien con el acolchado de cachemir.

TAMAÑO TERMINADO

16" x 16"

MATERIALES

Las cantidades son para telas de 42" de ancho. Un Fat Quarter mide 18" x 21".

1 Fat Quarter de gris liso y de azul liso para el frente del cojín

1 Fat Quarter de estampado coordinado para el dorso del cojín

1 cuadrado de 17" x 17" de tela para la trasera del frente del cojín

1 cuadrado de 17" x 17" de guata

Relleno para cojín de 16" x 16"

CORTAR

Todas las tiras se cortan al hilo de la tela, paralelas al orillo.

De la tela gris liso, cortar:

1 tira de 5½" x 18"; cortarla en 2 cuadrados de 5½" x 5½"
2 tiras de 3½" x 9½"
2 tiras de 3½" x 16½"

De la tela azul liso, cortar:

1 tira de 5½" x 18"; cortarla en 2 cuadrados de 5½" x 5½"
5 tiras de 2½" x 18"

Del estampado coordinado, cortar:

2 rectángulos de 10½" x 16½"

INSTRUCCIONES

1. Trazar una diagonal de esquina a esquina por el revés de cada cuadrado gris. Poner un cuadrado gris encima de un cuadrado azul, derecho con derecho. Hacer una costura a ¼" a cada lado de la diagonal dibujada. Cortar los cuadrados para separarlos por la línea y obtener dos unidades de triángulo de cada medio cuadrado. Planchar los márgenes de costura hacia los triángulos azules. Recortar las unidades para que sean cuadrados de 4½". Repetir para tener, en total, cuatro unidades.

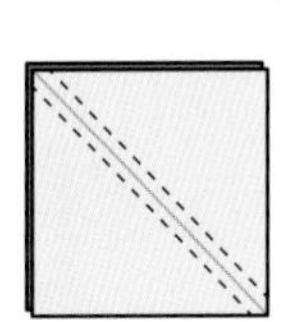

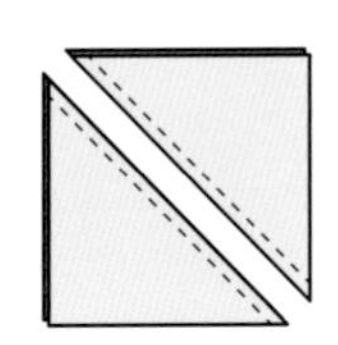

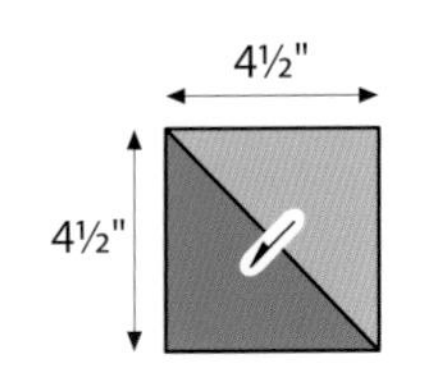

Hacer 4.

2. Colocar las unidades de triángulo en dos filas, como en el diagrama. Coser las unidades por filas. Planchar los márgenes de costura en las direcciones indicadas. Unir las filas y planchar los márgenes de costura en una dirección. El bloque deberá medir 9½" x 9½".

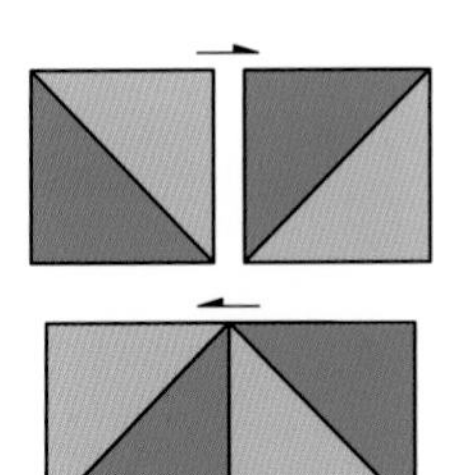

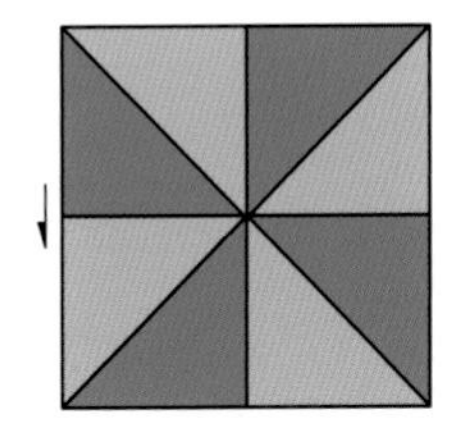

3. Coser las tiras grises de 3½" x 9½" a cada lado del bloque. Planchar las costuras abiertas. Coser las tiras grises de 3½" x 16½" arriba y abajo del bloque. Planchar las costuras abiertas.

4. Poner el bloque sobre la guata y la trasera; hilvanar utilizando el método que se prefiera. Acolchar como en el mapa de acolchado, siguiendo la dirección general de las flechas azules.

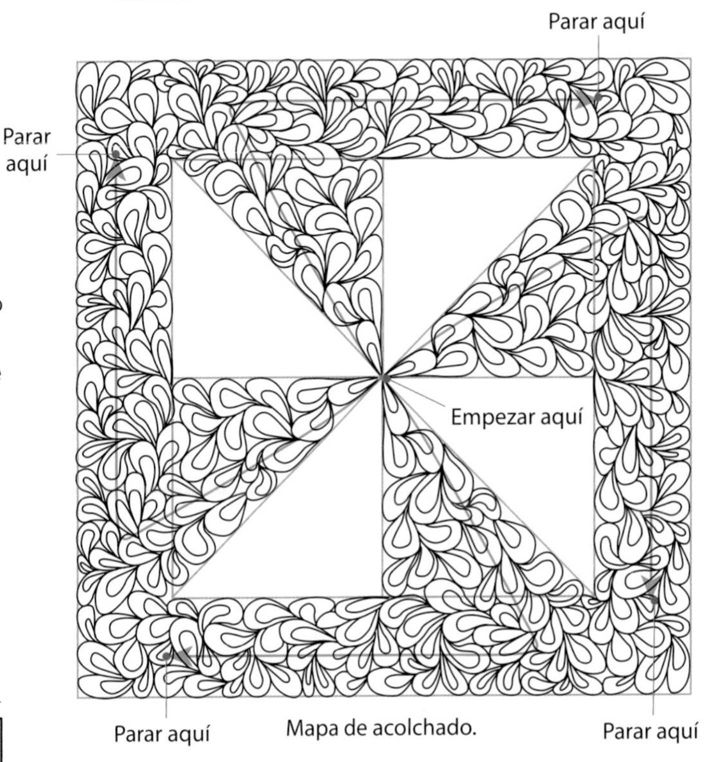

Mapa de acolchado.

5. Recortar la guata y la trasera a ras de los bordes del bloque para completar el frente del cojín.

6. Para hacer el dorso del cojín, doblar ¼" un borde de 16½" de cada rectángulo estampado y planchar el doblez. Volver a doblar ¼" y planchar. Hacer una costura a máquina por el borde doblado.

Estampado direccional

Si el dorso del cojín es un estampado con dirección, colocar los dos rectángulos uno junto al otro para asegurarse de que el dibujo sigue la misma dirección en los dos rectángulos. Doblar y coser los bordes que van a montar como se indica en el paso 6.

7. Solapar las dos piezas del dorso sobre el frente del cojín, revés con revés, como en el diagrama. Pasar un hilván a máquina alrededor del cojín, con un margen de costura de ¼". Retirar los alfileres y recortar el dorso del cojín a ras del frente, si fuera necesario.

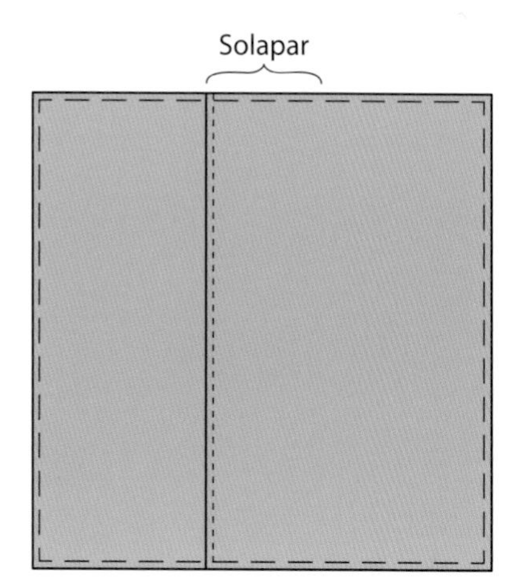

8. Siguiendo Ribetear, ver página 94, utilizar las tiras azules de 2½" de ancho para ribetear los bordes del cojín. Meter el almohadón de relleno por la abertura.

Vetas de madera

Los dibujos de acolchado basados en la naturaleza parecen anidar en el fondo de mi corazón. Me gusta más ir de pesca que de compras y el aire libre me va, me ofrece inspiración, además de paz y tranquilidad. Acolchar motivos basados en la naturaleza me aporta esa misma sensación de calma. Las vetas de la madera forman un motivo que debe su belleza a su imperfección. No es un dibujo con el que haya que estresarse o esforzarse. Unas líneas irregulares y unos bultos le dan carácter y la variación del ancho de las vetas forma parte de su atractivo. ¡Es difícil que este diseño parezca mal hecho! Cuando yo aprendía a acolchar, tuve muy buenos resultados con las vetas de la madera y descubrir que podía conseguir algo bonito me subió la autoestima. Espero que este diseño te transporte a un remanso de paz y, al mismo tiempo, te dé autoconfianza.

INSTRUCCIONES

1. Preparar la máquina siguiendo los Cinco pasos de preparación para acolchar en movimiento libre, ver página 21, y preparar un cuadrado de prácticas.
2. Asegurarse de tener bien colocadas las manos para controlar la tela al máximo y dar cinco o seis puntadas en el sitio antes de coser despacio una línea ondulante, de izquierda a derecha, a través del cuadrado de prácticas.

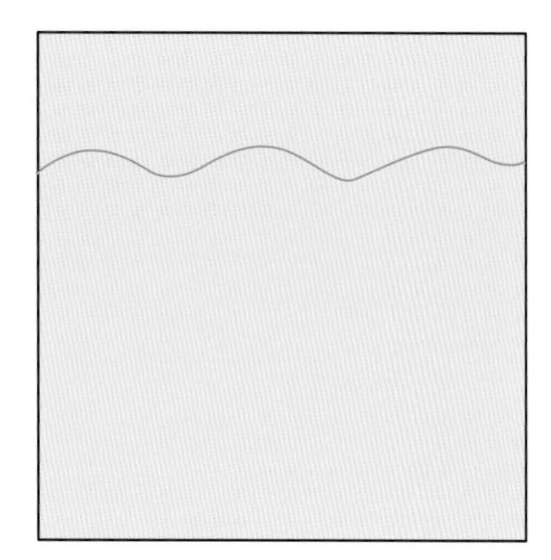

3. Al llegar al borde del cuadrado de prácticas, hacer una costura de ¼" hacia abajo y repetir el mismo recorrido ondulante, ahora de derecha a izquierda. A medio camino del cuadrado, parar en la base de una onda para acolchar un "nudo" de la madera. Formar un arco y luego acolchar un arco debajo del primero para formar como un ojo. Parar la costura ½" antes de llegar al comienzo del nudo.

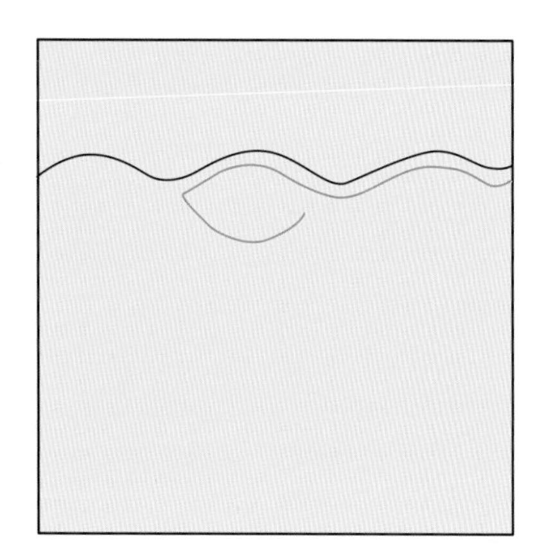

4. Coser un arco más pequeño a ½" por debajo del primero, parando la costura a ½" de la esquina izquierda del nudo y entonces acolchar el arco inferior. Detener la costura a ½" de la esquina derecha del nudo. Hacer una forma de gancho pequeño en el centro.

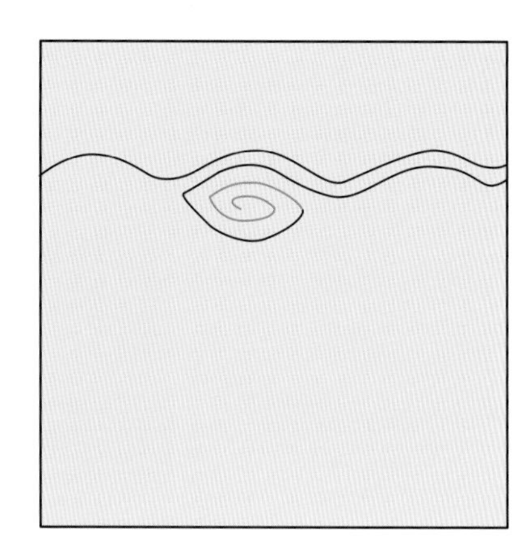

5. Empezando en el centro, coser entre las líneas recién acolchadas para volver, formando una espiral, hasta el punto de partida debajo del nudo y seguir cosiendo la línea ondulante hacia la izquierda del cuadrado para terminar la fila.

6. Seguir cosiendo filas y añadiendo un nudo cada dos filas. Asegurarse de repartir los nudos para que queden naturales.

Utilizar espacios accesibles

Las vetas de madera forman un dibujo de lado a lado, lo que significa que se cose de un borde de la zona de acolchado hasta el otro borde. Si se piensa acolchar un veteado en una superficie grande de un quilt, habrá que desplazar continuamente todo el quilt de un lado a otro para formar el dibujo. ¡Eso es mucho trabajo! Lo mejor es seleccionar unas áreas específicas del quilt para este dibujo, o utilizarlo en toda la superficie si se trata de labores más pequeñas.

Bolsa de mensajero lamas de madera

Cosido y acolchado por Molly Hanson.

TAMAÑO TERMINADO

15" x 12" x 3"

MATERIALES

Las cantidades son para telas de 42" de ancho. Un Fat Quarter mide 18" x 21".

8 tiras de 3½" x 24" de telas lisas con los colores de la madera (tostado, marrón, crema, topo, gris) para el exterior de la bolsa (pueden ser recortes o batiks)

½ yarda de tela para el forro

1 Fat Quarter de tela coordinada para los paneles laterales

½ yarda de marrón liso para el asa y el ribete

1 pieza de 27" x 36" de guata termoadhesiva

A todas las quilters les gusta ofrecer regalos hechos con sus manos, pero no es fácil encontrar regalos para todo el mundo. Los hombres son especialmente difíciles, porque muchas telas y dibujos de acolchado resultan femeninos. Las vetas de madera forman un dibujo de acolchado estupendo para los chicos. Cuando me propuse realizar una bolsa masculina acolchada con vetas de madera, me imaginé un parqué enrollado. El acolchado sobre costura separa las lamas de madera y ofrece zonas bien delimitadas en las que acolchar, lo que facilita mucho la labor. He omitido cualquier bolsillo para que el modelo resultara sencillo y el trabajo se pudiera centrar en el acolchado.

CORTAR

De las telas color madera para el exterior de la bolsa, cortar *en total:*

8 tiras de 3½" x 24"; cortadas a lo ancho en:

12 rectángulos de 3½" x 12"

6 rectángulos de 3½" x 6¼"

De la tela coordinada para los paneles laterales, cortar:

4 rectángulos de 3½" x 12"

1 tira de 2" x 15½"

De la tela para el forro, cortar:

1 tira de 17" x 38"

De la guata termoadhesiva, cortar:

1 tira de 15½" x 36"

1 tira de 5" x 36"

2 rectángulos de 3½" x 12"

De la tela marrón liso para el asa y el ribete, cortar:

1 tira de 5½" x 36"

4 tiras de 2½" x 42"

INSTRUCCIONES

1. Coser unos rectángulos con otros por filas, como en el diagrama del paso 2. Planchar las costuras abiertas. Unir las filas y planchar las costuras abiertas. Recortar el panel de la bolsa para que mida 15½" x 34½".

2. Coser la tira de 2" x 15½" en un extremo de la bolsa. Planchar las costuras hacia la tira recién añadida. Este es el borde de arriba del cuerpo de la bolsa. La bolsa debe medir 15½" x 36".

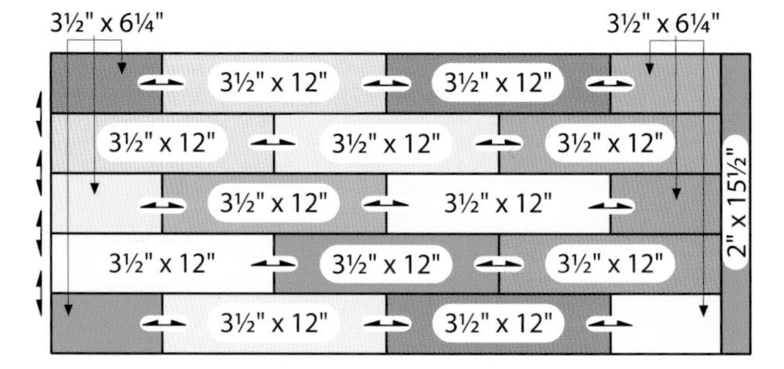

3. Siguiendo las instrucciones del fabricante, pegar la tira de guata termoadhesiva de 15½" de ancho sobre el revés del cuerpo de la bolsa.

4. Rociar de pegamento para pegar la pieza de forro sobre la guata del cuerpo de la bolsa.

5. Acolchar el cuerpo de la bolsa como se ve en el mapa de acolchado. Recortar el forro a ras de los bordes del cuerpo de la bolsa.

6. Pegar un rectángulo de guata termoadhesiva de 3½" x 12" sobre el revés de un panel lateral. Rociar de pegamento un rectángulo lateral y ponerlo al otro lado de la guata, como forro. Repetir el proceso con el otro rectángulo de guata y dos rectángulos de paneles laterales. Utilizando el borde del prensatelas como guía, hacer unas costuras en línea recta por el centro de cada panel lateral, a intervalos de ¼". Cuadrar cada panel si hiciera falta.

Mapa de acolchado.

7. Doblar por la mitad a lo largo, revés con revés, una tira marrón de 2½" de ancho y planchar. Siguiendo Ribetear, ver página 94, utilizar la tira para ribetear un lado corto de cada lateral del cuerpo de la bolsa y el borde de arriba.

8. Prender un panel lateral con el cuerpo de la bolsa, alineando los costados y empezando por la esquina superior derecha del panel lateral, como en el diagrama. En la esquina del panel lateral, pasar con cuidado el panel de la bolsa alrededor de la esquina y prender. Seguir así, prendiendo y embebiendo alrededor de la otra esquina y subiendo por el otro costado del panel. Repetir el proceso prendiendo el otro lateral al otro lado del panel del cuerpo de la bolsa.

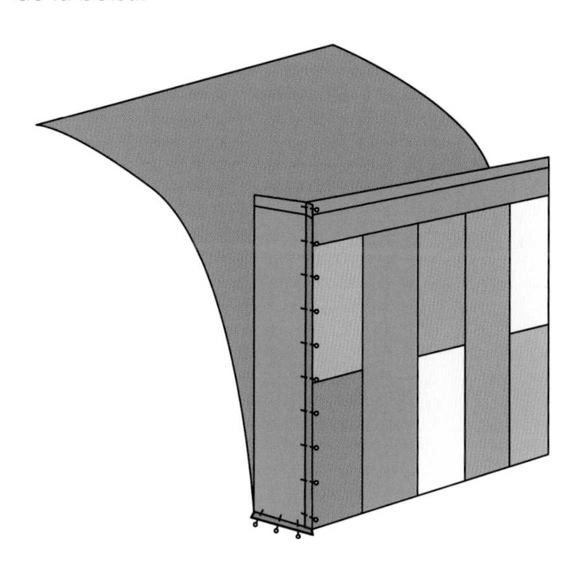

9. Coser los paneles laterales con el cuerpo de la bolsa, dejando un margen de costura de ¼". Al mismo tiempo, ir retirando los alfileres. Tener cuidado de que las piezas queden alineadas en las esquinas. La costura quedará por fuera de la bolsa y se rematará con el ribete.

10. Unir las tres tiras marrones restantes de 2½" para formar una tira larga. Planchar la tira doblada por la mitad a lo largo, revés con revés. Dejando un cabo de 1" y empezando en la esquina superior derecha del cuerpo de la bolsa, coser con un punto atrás el ribete sobre el derecho de la bolsa, como en el diagrama. Ir embebiendo en torno a las esquinas de los paneles laterales y doblar a inglete las esquinas a 90° en la solapa de la bolsa. Al llegar a la esquina superior izquierda de la bolsa, detener la costura y dar un punto atrás. Recortar la tira sobrante dejando un cabo de 1".

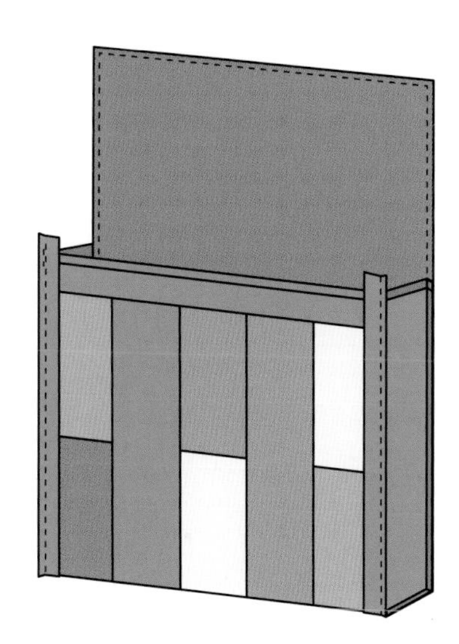

11. Doblar los cabos del ribete hacia abajo, a ras del borde superior, y doblar luego el ribete por encima de los cantos para tapar la línea de costura a máquina. Hacer una costura a máquina a lo largo del borde doblado.

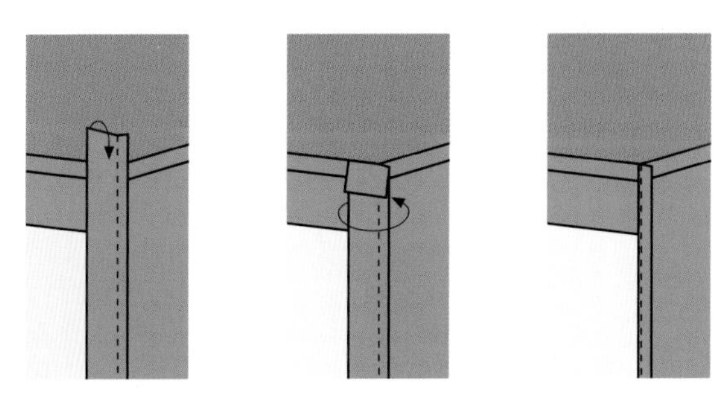

12. Para hacer el asa, centrar la tira de guata termoadhesiva de 5" de ancho sobre el revés de la tira marrón de 5½" de ancho, de manera que quede un margen de costura de ¼" a lo largo de los bordes largos, y pegar. Doblar ahora la tira a lo largo, derecho con derecho, y hacer una costura sobre el canto largo. Volver el asa del derecho. Planchar el tubo para aplastarlo, colocando los márgenes de costura hacia un lado. Hacer un pespunte por los dos bordes del asa. Guiándose por el borde del prensatelas, coser en el asa varias líneas rectas en vertical, a intervalos de ¼".

13. Centrar un extremo del asa sobre un panel lateral, por el exterior de la bolsa y casando los cantos del asa con el borde inferior del ribete. Prender y hacer una costura atravesada sobre el extremo del asa. Volver el asa hacia arriba, tapando los cantos, y coserla en su sitio. De igual manera, coser el asa al otro lado de la bolsa.

Estuche para el portátil

Realizado y acolchado por Molly Hanson.

Actualmente todos tenemos unos artilugios valiosos que hay que proteger de golpes y rayaduras. Desde los smartphones hasta los ordenadores portátiles, las tabletas y las consolas de videojuegos, la tecnología requiere un almohadillado suave, un acolchado hecho con cariño. Este sencillo estuche para el ordenador portátil se puede adaptar a las medidas de cualquier otro aparato. En este, quise que el diseño imitara una talla en madera. Personaliza tu estuche con iniciales, nombres o mensajes escritos dentro del corazón y después acólchalo formando vetas de madera alrededor. Este proyecto aprovecha los conocimientos adquiridos con los cuadrados de prácticas y es un estupendo regalo para aquellas personas que quieres pero que son difíciles de contentar.

TAMAÑO TERMINADO

17" x 10½"

MATERIALES

Las cantidades son para telas de 42" de ancho.

¾ de yarda de naranja rojizo liso para el exterior del estuche, el forro y el ribete

1 pieza de guata de 18" x 21"

1 pieza de elástico de ¼"de ancho y 4" de largo

1 botón de trenka de ¾" de largo

CORTAR

De la tela naranja rojizo liso, cortar:
2 piezas de 18" x 21"
2 tiras de 2½" x 42"

INSTRUCCIONES

1. Siguiendo Hilvanado con spray, ver página 15, montar las dos piezas de tela naranja rojizo con la guata y rociar las capas para pegarlas.
2. Acolchar como en el mapa de acolchado.

Mapa de acolchado.

3. Poner el ordenador portátil encima de la pieza acolchada y doblar esta por la mitad, sobre el ordenador, asegurándose de que quede completamente cubierto.
4. Ver Ribetear, página 94, para ribetear los dos lados cortos del estuche con una tira naranja rojizo de 2½" de ancho.
5. Doblar de nuevo el estuche por la mitad, con el derecho hacia fuera, y hacer una costura por un extremo dejando un margen de costura de ¼".
6. Con una tira naranja rojizo de 2½" de ancho y dejando un cabo de 1" en cada extremo, coser el ribete sobre el frente del estuche en el lado recién cosido. Doblar los cabos por encima de los cantos, cubriendo la línea de puntos a máquina. Hacer una costura a máquina por el borde doblado.

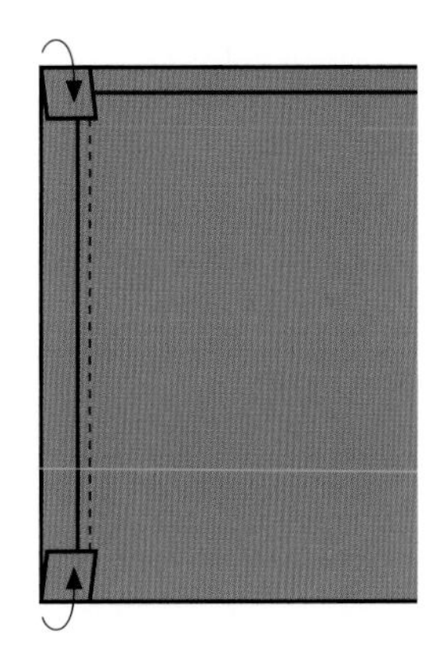

7. Meter el ordenador en el estuche, haciendo que quede contra el lado cosido y el fondo del estuche. En el lado abierto, poner un alfiler donde vaya a ir la costura siguiente, en los bordes de arriba y de abajo, para mantener el ordenador bien sujeto. Retirar este y marcar una línea uniendo los dos alfileres. Poner unos cuantos alfileres a lo largo de la línea dibujada. Volver a introducir y a sacar el ordenador para asegurarse de que la funda está a la medida. Ajustar los alfileres si fuera necesario.
8. Coser por la línea dibujada y recortar la tela sobrante, dejando un margen de costura de ¼".
9. Repetir el paso 6 para ribetear la costura recién hecha.
10. Doblar el elástico por la mitad para formar una presilla. Centrar la presilla en el forro de detrás, justo debajo del ribete; coserla en su sitio, dando unas puntadas hacia atrás varias veces para asegurarla en el estuche. Tirar suavemente de la presilla por encima del top para comprobar que está bien ajustada. Con la presilla centrada en el frente del estuche, marcar un punto dentro de la presilla para saber dónde coser el botón. Coser el botón en su sitio.

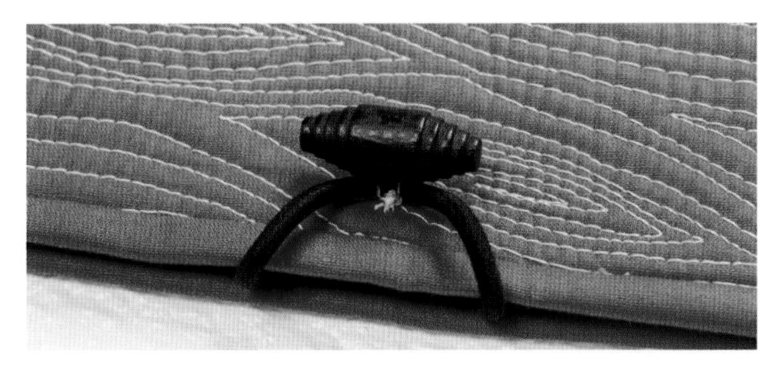

Dibujos de estampado

Acolchar repitiendo los dibujos de un estampado consiste precisamente en seleccionar todo el diseño de una tela estampada, o una parte del mismo, y acolchar siguiendo los motivos. De este modo se realza y destaca el dibujo de la tela y al mismo tiempo se tiene la oportunidad de acolchar figuras totalmente nuevas que no se harían de otro modo. Siguiendo los dibujos del estampado también se refuerzan los conocimientos adquiridos al acolchar sobre un recorrido, al acolchar siguiendo el contorno de las aplicaciones y al acolchar sobre costuras. Este conocimiento es uno de los fundamentos de un buen acolchado en movimiento libre, así que practicando sobre estampados se está adquiriendo una excelente práctica.

Para ensayar esta técnica, recomiendo hacer una selección de cuadrados de prácticas. Para la tela del top utilizar distintos tipos de estampado, como dibujos geométricos simples, flores grandes y motivos caprichosos. Al elegir la tela, trata de imaginar el modo de acolcharla. ¿Vas a seleccionar ciertos elementos para destacarlos, o vas a acolchar todos los motivos del estampado? ¿Cómo pasarás de un lugar a otro? Si te planteas estas preguntas durante el proceso de selección, te será más fácil acolchar. ¡Siempre es buena idea empezar una labor nueva teniendo un plan en mente!

Lo mejor del acolchado sobre estampados es que ofrece la oportunidad de destacar los motivos que se prefiera. Vamos a ver, todas empezamos a acolchar porque éramos adictas a comprar telas, ¿verdad? Así que, por amor a las telas y por la oportunidad de ampliar el arte de acolchar en movimiento libre, vamos a practicar el acolchado sobre dibujos de estampado.

INSTRUCCIONES

1. Preparar la máquina siguiendo los Cinco pasos de preparación para acolchar en movimiento libre, ver página 21, y preparar un cuadrado de prácticas.
2. Decidir qué parte del estampado se desea perfilar. Empezando en el borde del cuadrado y asegurándose de tener las manos bien situadas para controlar la tela al máximo, dar cinco o seis puntadas en el sitio antes de empezar a acolchar.
3. Centrarse en el contorno del motivo y, muy despacio, empezar a seguir la línea. En lugar de mirar directamente a la aguja, mirar como ½" por delante de ella. Fijarse en la aguja llega a marear debido a su movimiento; es mejor, como cuando se conduce, mirar por delante del recorrido para permanecer en el carril. Mirar por delante de la aguja hace el mismo efecto.
4. Seguir cosiendo muy despacio alrededor del motivo. Desplazar la tela cuando sea necesario para acolchar cómodamente y parar con frecuencia para cambiar la posición de las manos.
5. Una vez perfilado el motivo, hay que estudiar cómo pasar a la siguiente zona de estampado que se vaya a acolchar. Hay dos opciones. Una de ellas es parar, cortar el hilo y empezar en el borde de otro motivo del estampado. En labores pequeñas, este método no molesta porque no serán muchas las veces que se pare y se vuelva a empezar. Ahora bien, en quilts grandes, tener que parar y reanudar puede ser muy molesto y yo opto por otro método distinto. En este segundo método, en lugar de cortar el hilo, hago una sarta de perlas para unir los motivos. Este acolchado aporta interés al diseño de la tela y evita tener que parar y cortar la hebra. Cualquiera de las dos opciones es válida y recomiendo probar las dos para ver cuál se prefiere.

Una sarta de perlas une un motivo de flores con otro.

6. Rellenar varios cuadrados de prácticas con distintos tipos de acolchado sobre estampado. Este es un ejemplo en el que se requieren muchas muestras de prácticas; dibujar no ayuda mucho. Yo sugiero utilizar cuadrados de prácticas de tamaño suficiente para poderlos convertir en algunos de los proyectos de este libro. ¡Hay que aprovecharlo todo!

Hilo coordinado

El acolchado sobre estampado es muy bonito cuando está bien hecho, pero puede parecer embrollado si se utiliza un hilo que contraste y se pasa por fuera de las líneas de contorno. Procura emplear un hilo coordinado con el color del fondo, o que se confunda con él, y sigue exactamente el contorno del motivo; de este modo no se notarán los errores y la textura hará que destaque el motivo estampado.

Cama para el perro bueno

Realizado y acolchado por Molly Hanson.

Como madre adoptiva de dos magníficos Labradoodles, he realizado varias camas para perro a lo largo de los años. Mi experiencia me ha enseñado unas cuantas cosas sobre la forma y función —y también la duración— de una buena cama de perro. Las camas de perro acolchadas son resistentes y se vuelven más blandas con los lavados. Se puede utilizar cualquier pieza acolchada que sea del tamaño adecuado. Si no necesitas una para el perro, la puedes hacer para regalar o para donarla a un refugio de animales. Si todos los perritos del refugio tuvieran una cama acolchada cómoda, su mundo sería un poco mejor. Este modelo es sencillo y, al mismo tiempo, muy bonito y práctico. ¡Incluso te enseñaré a no gastar un céntimo en el relleno!

TAMAÑO TERMINADO

20" x 28", adecuado para un perro de tamaño pequeño

Ver otras medidas en Camas para perros más grandes, página 71

MATERIALES

Las cantidades son para telas de 42" de ancho

¾ de yarda de estampado para el top de la cama

¾ de yarda de tela para el forro

¾ de yarda de dril o de tela de tapicería para el dorso de la cama

1 yarda de tela para el relleno (ver Opciones de relleno, página 72)

¼ de yarda de tela para ribetear

1 pieza de 24" x 32" de guata

1 yarda de entretela termoadhesiva no tejida y gruesa, de 22" de ancho

Bolas de porexpán, fibra de poliéster o tiras de papel para el relleno

Camas para perros más grandes

Para hacer una cama para un perro mediano, se necesitan las telas siguientes:

- 1 yarda de tela estampada para el top de la cama
- 1 yarda de tela para forro
- 1¾ yardas de dril o de tela de tapicería para el dorso de la cama
- 2 yardas de tela para el relleno (ver Opciones de relleno, página 72)
- ⅜ de yarda de tela para ribetear
- 1 pieza de 34" x 42" de guata
- 2 yardas de entretela termoadhesiva no tejida gruesa, de 22" de ancho

Añadir 10" a cada medida dada en la lista de corte. Se necesitan 4 tiras de 2½" x 42" para ribetear.

Para hacer una cama para un perro grande, se necesitan las telas siguientes:

- 1⅝ yardas de estampado para el top de la cama
- 1⅝ yardas de tela para forro
- 2⅜ yardas de dril u otra tela de tapicería para el dorso de la cama
- 3 yardas de tela para el relleno (ver Opciones de relleno, página 72)
- ½ yarda de tela para ribetear
- 1 pieza de 44" x 52" de guata
- 3 yardas de entretela termoadhesiva no tejida gruesa, de 22" de ancho

Añadir 20" a cada medida dada en la lista de corte. Se necesitan 5 tiras de 2½" x 42" para ribetear.

CORTAR

Del estampado para el top de la cama, cortar:
1 pieza de 22" x 30"

De la tela para forro, cortar:
1 pieza de 24" x 32"

De la tela de dril o de tapicería para el dorso de la cama, cortar:
1 pieza de 20" x 22"
1 pieza de 16" x 20"

De la tela para el relleno, cortar:
2 piezas de 21" x 29"

De la tela para ribetear, cortar:
3 tiras de 2½" x 42"

De la entretela, cortar:
1 pieza de 22" x 30"

INSTRUCCIONES

1. Siguiendo las instrucciones del fabricante, pegar la entretela sobre el revés de la tela del top para la cama del perro.
2. Montar las capas del top con la guata y el forro. Hilvanar con el método que se prefiera.
3. Acolchar siguiendo los dibujos del estampado. Mi tela tenía hexágonos estampados y acolché siguiendo las líneas indicadas en el mapa de acolchado. Habrá que repasar algunas líneas de acolchado para llegar a la siguiente zona de acolchado.

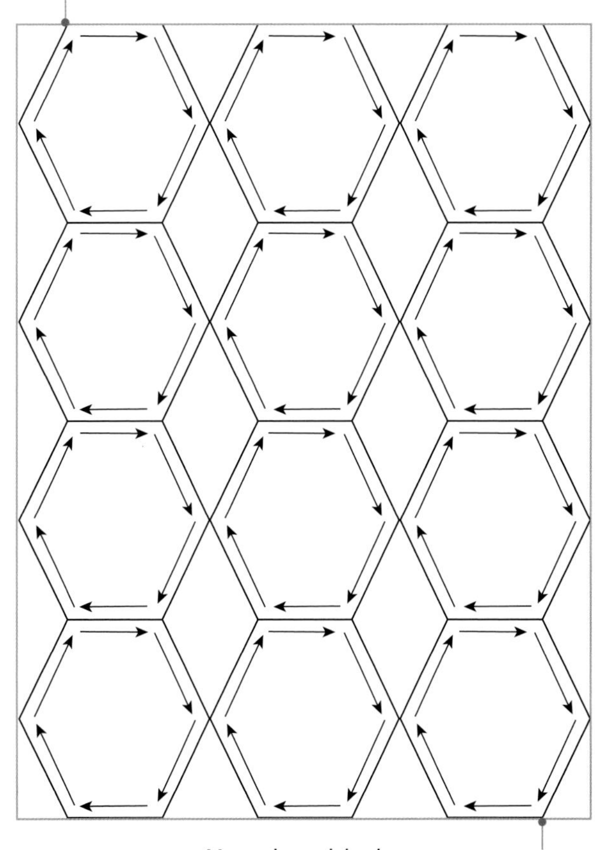

Mapa de acolchado.

4. Recortar la pieza acolchada para que mida 20" x 28".
5. Para hacer el dorso de la cama, doblar 1" de un borde de 20" de las dos piezas del dorso y, de nuevo, doblar 1" más. Planchar el doblez y hacer un pespunte por el dobladillo.
6. Poner las dos piezas del dorso, con el revés hacia arriba, sobre una superficie lisa, solapando unas 6" los dos bordes del dobladillo. Poner la pieza acolchada encima de estas piezas. Prender por los bordes, asegurándose de que no se muevan las piezas del dorso. Coser las piezas dejando un margen de costura de ¼". Después, hacer una costura a ⅛" por dentro del margen de costura. De este modo se refuerza la cama y los bordes quedan aplastados para ribetearlos.
7. Siguiendo Ribetear, ver página 94, utilizar las tiras de 2½" para ribetear los bordes.
8. Para hacer el almohadón de relleno, poner las dos piezas de la tela para el relleno derecho con derecho. Coser por tres lados para formar un saco. Volver el saco del derecho. Rellenarlo con el material elegido y coser luego el lado abierto. Si se utilizan bolitas, hay que tener cuidado de no poner demasiadas; llenar con ellas algo menos de la mitad del saco. Si se emplea fiberfill, recomiendo poner algo más del relleno necesario porque tiende a aplastarse con el tiempo.
9. Introducir el relleno por la abertura del dorso de la cama.

Opciones de relleno

Más abajo se ofrecen varias opciones de relleno para la cama del perro. Si se rellena con bolitas de porexpán o con fiberfill, hay que hacer una bolsa para el relleno.

Bolitas de porexpán (o alubias de porexpán). La ventaja es que quedan blandas, flexibles y a los perros les encanta. Es un relleno confortable y de aspecto bonito. El inconveniente es que si el perro es cachorro o le gusta mordisquear, es un relleno tóxico o indigesto y conviene reservarlo para perros adultos que ya no mordisquean.

Fiberfill o fibra de poliéster. La ventaja es que es blando, como una almohada, y también lavable. En caso de perros con artrosis, el saco de relleno se puede llenar hasta que quede firme. El inconveniente es que el relleno se aplasta con el tiempo y hay que añadir más o sustituirlo de vez en cuando.

Tiras de papel. Sí, si tienes una trituradora de documentos, no tires el papel. Guárdalo y mételo en una bolsa de basura grande. Cuando la bolsa esté llena, ciérrala con cinta adhesiva y ya tienes un relleno gratis y desechable para la cama del perro. Este tipo de relleno es cómodo durante un tiempo y perfecto para donarlo a un refugio porque se puede cambiar y la cama del perro se puede lavar y reutilizarla para otro perro. Por la misma razón, es estupendo para cachorros y para perros adultos con incontinencia.
El inconveniente es que el papel se comprime con bastante rapidez y hay que cambiarlo varias veces al año para que la cama continúe siendo blanda y cómoda. Piensa en esta opción si haces una cama para donarla, pero para un regalo o para tu propio perro, es mejor que utilices alguno de los otros rellenos.

Funda Makiko para tabla de planchar

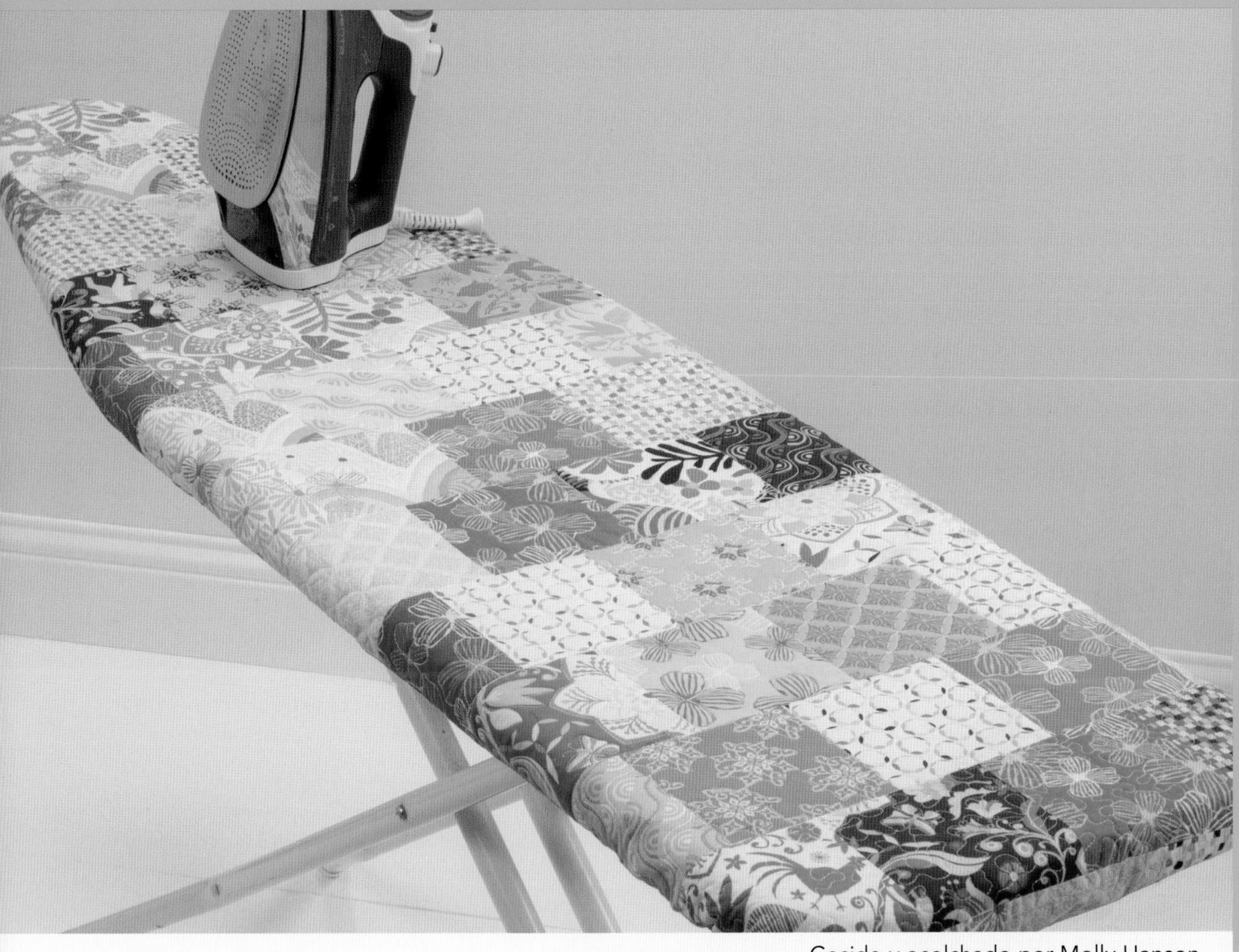

Cosido y acolchado por Molly Hanson.

TAMAÑO TERMINADO

60" x 20"

MATERIALES

Las cantidades son para telas de 42" de ancho.

79 cuadrados de 5" x 5" de estampados coordinados para el top

2½ yardas de tela coordinada para la trasera y el ribete

1 pieza de 66" x 78" de guata*

3 yardas de cordón elástico de ¼" (o de ⅛") de diámetro

** Recomiendo utilizar una sola capa de guata de 80% algodón y 20% poliéster o de algodón 100%. Para este proyecto no recomiendo la guata 100% poliéster.*

Las quilters pasamos mucho tiempo ante la tabla de planchar. Al menos, yo lo paso. Llevo haciendo mis propias fundas para la tabla desde que empecé a acolchar en movimiento libre. Me encanta utilizar mis telas para animar el espacio de costura y que la plancha me resulte un poco más alegre. La funda que está ahora en mi tabla la hice con unas telas especiales para kimono que me regaló mi querida amiga Makiko, que vive en Japón. En esta funda he unido unos cuadrados de 5" con preciosos estampados que ofrecen muchas posibilidades para practicar el acolchado sobre dibujos. Si el estampado de cada cuadrado es distinto, se tiene la oportunidad de acolchar 79 motivos diferentes, cada uno de 5", y todo en un mismo proyecto.

INSTRUCCIONES

Esta disposición reduce al mínimo el volumen de las costuras, lo que resulta muy adecuado para una funda de tabla de planchar de patchwork.

1. Colocar los cuadrados en siete filas de cinco cuadrados y en siete filas de seis cuadrados cada una, como en el diagrama del paso 2. Cuando la colocación quede bonita, coser los cuadrados por filas. Planchar las costuras abiertas. Volver a poner cada fila en su sitio una vez cosida.
2. Doblar por la mitad una fila de cinco cuadrados para hallar el centro y marcarlo planchando con los dedos. Alinear la costura central de una fila de seis cuadrados con el doblez y prender en su sitio. Coser juntas las dos filas y planchar la costura abierta. Unir las demás filas de igual manera y planchar las costuras abiertas. Coser los dos cuadrados restantes al final de la funda. La funda deberá medir 30½" x 75½".

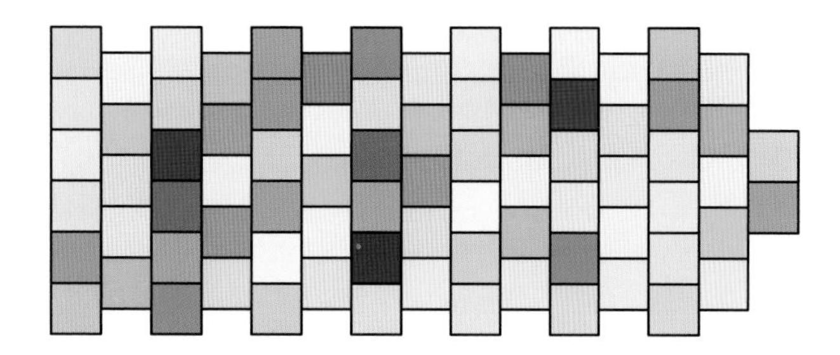

3. Cortar dos piezas de 33" x 42" de la tela de la trasera. Unir las piezas y planchar la costura abierta. Recortar la trasera para que mida 33" x 78".
4. Montar las capas de la funda con la trasera y la guata. Hilvanar con el método que se prefiera.
5. Elegir unos elementos de cada cuadrado para acolchar. Coser unos motivos pequeños en cada cuadrado permite practicar en un proyecto rápido. Si hay un dibujo que no se sabe cómo seguir, se dibujan meandros por ese cuadrado y se pasa al siguiente.
6. Poner la tabla de planchar, boca abajo, sobre la funda. Marcar el contorno a 3" del borde de la tabla para que la funda mida 3" más que la tabla todo alrededor.

Patrón de papel

Se puede colocar la tabla de planchar encima de una tira de Freezer paper o de papel para camilla de médico y hacer un patrón de papel que se pueda utilizar varias veces.

7. Recortar la funda siguiendo la línea dibujada. Doblar la funda por la mitad a lo largo para hallar el centro en el extremo ancho. A ambos lados del doblez, marcar con alfileres una línea a ½" que servirá como punto de inicio y de final del ribeteado.
8. Cortar seis tiras de 2½" x 42" de la tela para la trasera. Unir las tiras en una sola haciendo costuras diagonales, como se describe en la página 94. Planchar la tira doblada por la mitad a lo largo, revés con revés. En un extremo, doblar hacia el revés ¼" y doblar otra vez ¼" y planchar. Coser el ribete con la funda empezando en uno de los alfileres con un punto atrás. Detener la costura a unas 3" del segundo alfiler. Pasado el alfiler, recortar el extremo de la tira a ½". Doblar el extremo como antes. Acabar de coser el ribete, terminando con un punto atrás.
9. Poner el cordón elástico por dentro del ribete, junto al canto de la funda. Doblar el ribete sobre él y coserlo a máquina en su sitio, con cuidado de no pillar el elástico en la costura. (Se nota bien por dónde va el elástico para evitar coserlo). No estirar el elástico, dejarlo por dentro del ribete sin más.
10. Poner la funda con el revés hacia arriba y colocar encima la tabla boca abajo. Con cuidado, tirar del elástico hasta que quede tirante. Ajustar la funda para que quede holgada y lisa. Una vez estirado el elástico y ajustado, anudar juntos los extremos. No hay que preocuparse de hacer un nudo bonito porque el cordón tirante mantiene la lazada apretada y permite al mismo tiempo retirar la funda para lavarla.

Remolinos

Siendo aún novata en el acolchado en movimiento libre, ya llevaba unos siete años haciendo quilts, pero nunca había hecho uno para mí. Como acababa de aprender a acolchar plumas, decidí que había llegado el momento de coser un top para mí y de tener el valor de acolcharlo con plumas hasta la mitad. Me sentí muy orgullosa de lo bonito que había quedado, aunque resultaba un poco llamativo, y quise enseñárselo a alguien para que lo valorara. Había seguido la carrera de Angela Walters y me parecía que sus acolchados eran los mejores, así es que le envié por e-mail fotografías de mi quilt a medio acolchar y le pregunté qué diseño creía que debía utilizar en la otra mitad del quilt.

Para mi sorpresa, respondió inmediatamente y me animó mucho con mi acolchado. Sugirió que usara remolinos para el resto del quilt. Me emocionó contar con su opinión de experta y vi que tenía razón. Los remolinos quedaron perfectos en aquel quilt y siempre me acuerdo de Angela cuando sigo este dibujo de acolchado.

Los remolinos quedan bien casi siempre. Se puede manipular la forma del remolino haciendo medio remolino o un cuarto, o repetir la forma del remolino por fuera para hacer más capas de remolinos y rellenar el espacio necesario. Son divertidos de hacer y casan bien con otros dibujos. Me he dado cuenta de que es uno de los modelos de acolchado que más utilizo por su versatilidad y belleza.

INSTRUCCIONES

1. Preparar la máquina siguiendo los Cinco pasos de preparación para acolchar en movimiento libre, ver página 21, y preparar un cuadrado de prácticas.
2. Asegurándose de tener las manos bien colocadas para controlar la tela al máximo, dar cinco o seis puntadas en el sitio antes de coser despacio un círculo grande. Al llegar a ½" del punto de partida, pasar hacia dentro de la línea cosida, a ½" de distancia.

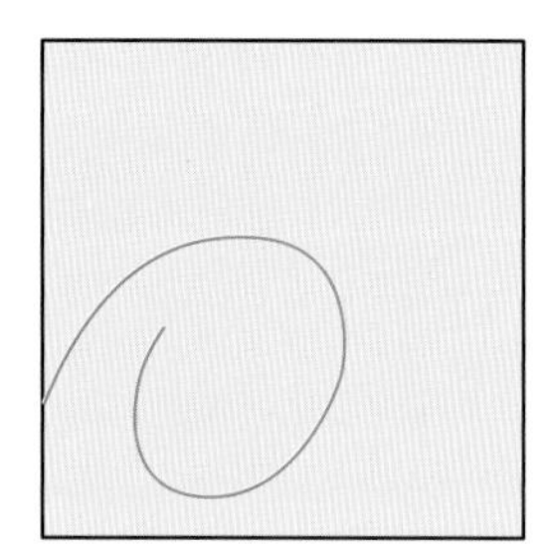

3. Seguir cosiendo a ½" de la línea cosida hasta llegar al centro del círculo.

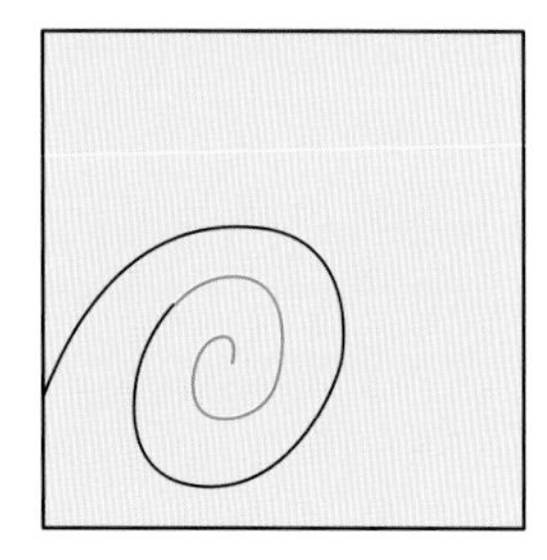

4. Cosiendo ahora entre las líneas, salir del círculo hasta llegar al punto de partida.

5. Coser otro círculo junto al primero y hacer otra espiral. Seguir cosiendo espirales para llenar el cuadrado de prácticas.

6. Cuando solo haya espacio para coser media espiral, coser un arco para llenar el espacio y luego coser otro a ¼" por dentro del primero. Seguir llenando el espacio con arcos a ¼" del anterior hasta haber rellenado la zona.

Variar el tamaño

No hay que parar la costura de la espiral justo donde se empezó. Se pueden acolchar capas exteriores de remolinos cada vez mayores. Es una buena manera de rellenar más espacio y las variaciones de tamaño añaden interés visual al diseño.

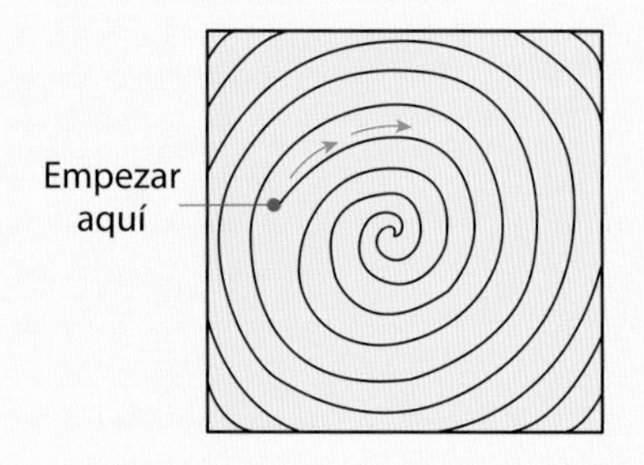

Bolso con borla

Cosido y acolchado por Molly Hanson.

TAMAÑO TERMINADO

10" x 9" x 2"

MATERIALES

Las cantidades son para telas de 42" de ancho. Los Fat Quarters miden 18" x 21".

½ yarda de turquesa oscuro liso para el exterior del bolso

1 Fat Quarter de color agua intermedio liso para el exterior del bolso

1 Fat Quarter de color agua claro para el exterior del bolso

½ yarda de tela para el forro

½ yarda de tela para la trasera

1 pieza de 16" x 22"de guata termoadhesiva

Continúa en la página 78.

Las borlas son divertidas y dan un toque original a toda clase de diseños. Mi madre me dio un curso rápido de borlas cuando una de ellas se quedó enganchada en la aspiradora. Estábamos invitadas en casa de unos amigos y la borla adornaba la esquina de un edredón de plumas muy caro. Me entró pánico, pero mi madre, conservando la calma, me enseñó a rehacer la borla. Cuando terminó el trabajo, la borla había quedado como nueva. Este bolso y el Bolso de fin de semana Palm Springs, ver página 81, llevan una borla. Espero que hacerlas os resulte tan divertido y adictivo como a mí.

Continuación de la página 77.

2 piezas de 10½" x 12½" de entretela termoadhesiva no tejida, gruesa

1 pieza de 5" x 8" de fliselina termoadhesiva con papel de protección

2 anillas circulares de 1½" de diámetro para el asa

1 anilla circular de ½" de diámetro para la borla

CORTAR

Del turquesa oscuro, cortar:
- 1 tira de 4½" x 42"; cortarla atravesada en 4 tiras de 4½" x 10½"
- 1 tira de 2½" x 42"; cortarla atravesada en 3 tiras de 2½" x 3" (descartar la tira sobrante)
- 1 tira de 4" x 21"
- 1 tira de 1½" x 2"

Del color agua intermedio, cortar:
- 2 tiras de 1¾" x 21"; cortarlas atravesadas en 4 tiras de 1¾" x 10½"
- 1 rectángulo de 5" x 8"

Del color agua claro, cortar:
- 1 tira de 2½" x 21"; cortarla atravesada en 2 tiras de 2½" x 10½"
- 1 rectángulo de 5" x 8"
- 1 tira de 1" x 4"

De la tela para el forro, cortar:
- 2 rectángulos de 10½" x 12½"
- 4 rectángulos de 5" x 7"

De la tela para la trasera, cortar:
- 2 rectángulos de 12" x 14"

De la guata termoadhesiva, cortar:
- 2 rectángulos de 10½" x 12½"
- 1 tira de 2½" x 21"

INSTRUCCIONES PARA EL CUERPO DEL BOLSO

1. Colocar las tiras turquesa oscuro, agua intermedio y agua claro como se ve en la fotografía de la página 77. Coser unas tiras con otras para formar una unidad rectangular. Planchar las costuras abiertas. La unidad deberá medir 12½" x 10½". Repetir para hacer una segunda unidad igual.

2. Pegar con la plancha un rectángulo de guata sobre el revés de una unidad del paso 1. Rociar de pegamento un rectángulo de tela para la trasera y pegarla sobre la guata de la unidad para hacer el frente del bolso. Repetir el proceso para hacer el dorso del bolso.

3. Acolchar el frente y el dorso del bolso como se indica en el mapa de acolchado. Habrá que pasar por encima de costuras anteriores para hacer el remolino siguiente. Empezar en el centro y seguir hacia fuera. Recortar la trasera a ras del frente y del dorso del bolso.

Mapa de acolchado.

4. Pegar una pieza de entretela sobre el revés de cada rectángulo de forro.

5. Poniendo derecho con derecho y dejando un margen de costura de ¼", coser dos rectángulos de forro de 5" x 7" para hacer un bolsillo, dejando una abertura de 3" en uno de los lados de 5". Volver del derecho los rectángulos, procurando sacar bien las esquinas, y planchar. Volver hacia dentro los bordes de la abertura y planchar. Hacer un pespunte por el borde. Será el borde de arriba del bolsillo. Repetir para hacer un segundo bolsillo.

6. Centrar y prender los dos bolsillos sobre el derecho de un rectángulo del forro, situándolos con una separación de ½" y a 1" del borde de arriba. Hacer un pespunte por los laterales y el fondo de cada bolsillo, empezando y terminando con un punto atrás.

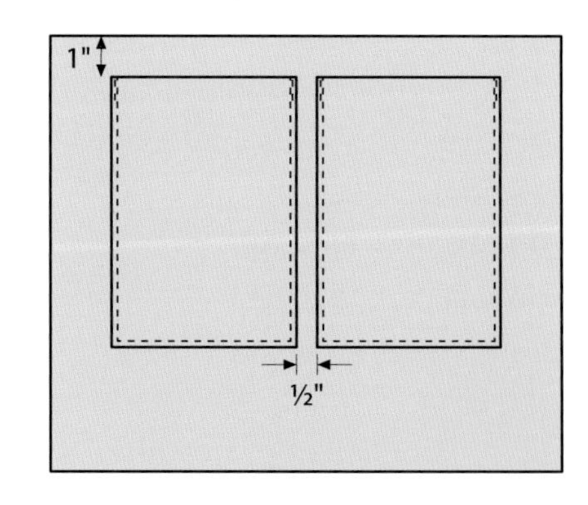

7. Poner los rectángulos del forro derecho con derecho y coserlos por los laterales y el fondo.
8. Para hacer las esquinas a caja, marcar 1" a partir de cada esquina, cortando por la línea dibujada. En una esquina, poner la costura lateral encima de la costura del fondo. Prender los cantos. Hacer una esquina dejando un margen de ¼". De igual manera, hacer a caja la otra esquina.

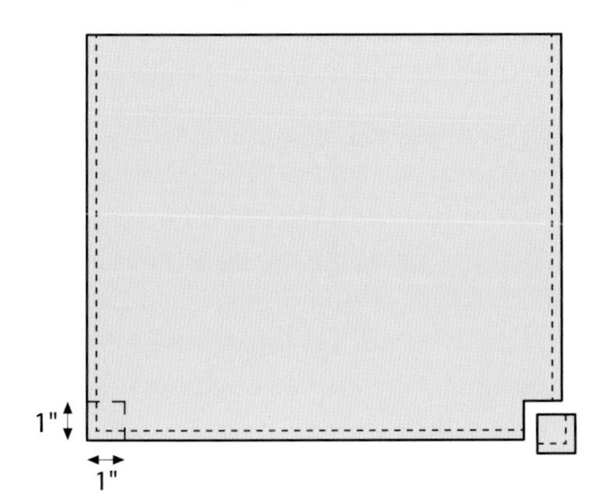

9. Repetir los pasos 7 y 8, cosiendo el frente del bolso con el dorso, casando las intersecciones de las costuras por el borde inferior y haciendo las esquinas a caja. Volver el bolso del derecho.
10. Para hacer las presillas laterales, planchar la tira turquesa oscuro de 2½" x 3" doblada por la mitad a lo largo, revés con revés. Abrir la tira y doblar los cantos largos hasta el doblez del centro; planchar. Doblar de nuevo la tira a lo largo y plancharla para formar una tira de ⅝" x 3". Coser un pespunte por los dos bordes doblados. Repetir para hacer la segunda presilla.
11. Poner el forro dentro del bolso, revés con revés. Doblar una presilla por la mitad y pasar una anilla de 1½" por la presilla. Repetir con la otra presilla y la otra anilla. Prender una presilla en la parte de arriba de cada costura lateral, por el exterior del bolso.

INSTRUCCIONES PARA LA BORLA

1. Para hacer la presilla de la borla, planchar la otra tira turquesa oscuro de 2½" x 3" por la mitad a lo largo, revés con revés. Abrir la tira y doblar los cantos hacia el doblez del centro; planchar. Volver a doblar los dos bordes doblados hasta el doblez del centro y, de nuevo, doblar la tira por la mitad a lo largo; planchar. La tira medirá ahora ⅜" x 3". Coser un pespunte por los dos bordes doblados.
2. Aplicar un rectángulo de fliselina termoadhesiva sobre el revés del rectángulo agua intermedio de 5" x 8", siguiendo las instrucciones del fabricante. Retirar el papel y pegar el rectángulo de color agua intermedio sobre el revés del rectángulo de color agua claro de 5" x 8". Marcar una línea a 2" del borde en un lado largo del rectángulo agua claro. Será el interior de la borla.
3. Planchar la tira agua claro de 1" x 4" doblada por la mitad a lo largo, revés con revés. Abrir la tira y doblar los cantos largos hasta el doblez del centro. Volver a doblar la tira por la mitad a lo largo y planchar. Doblar de nuevo la tira por la mitad, casando los extremos para formar una presilla. Pasar la anilla de ½" por la presilla. Poner la tira doblada en la esquina superior izquierda del rectángulo agua claro y coserla en su sitio. Cortar unas tiras de ¼", empezando abajo del rectángulo y hasta la línea dibujada.

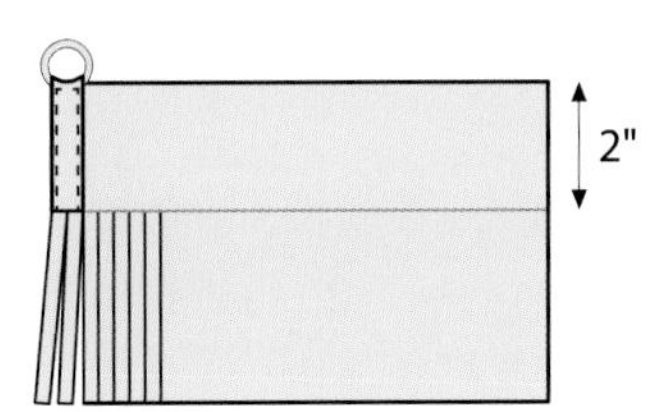

4. Enrollar firmemente el rectángulo, empezando por el extremo de la izquierda y asegurándose de que los flecos queden a la misma altura. Coser a mano la borla para cerrarla. Doblar hacia el revés ¼" un extremo corto de la tira turquesa oscuro de 1½" x 2" y planchar. Planchar la tira doblada por la mitad a lo largo, revés con revés. Abrir la tira y doblar los cantos hasta el doblez central. Empezando por el extremo sin doblar, enrollar la tira doblada sobre la borla, asegurándose de que el extremo doblado cubra los bordes sin rematar. Coser a mano en su sitio el borde doblado de la tira para completar la borla.
5. Pasar la presilla de la borla por la anilla de la borla. Centrar la presilla en el dorso del bolso casando los cantos y prenderla.

ACABADO

1. Planchar la otra tira turquesa oscuro de 2½" de ancho doblada por la mitad a lo largo, revés con revés. Empezando en una costura lateral y dejando un cabo de 7", prender la tira en el borde superior del bolso, por el exterior, asegurándose de alinear los cantos y de prender también el forro. Dejar de prender al llegar al otro lado de la costura lateral.
2. Colocar los dos extremos del ribete sobre el frente del bolso y solaparlos. Recortar para que se solapen exactamente 2½". Coser juntos los extremos, como se describe en el paso 7 de Ribetear, ver página 95. Prender el ribete con el frente del bolso. Coserlo en su sitio. Doblar el ribete por encima de los cantos, hacia el interior del bolso, y prenderlo, asegurándose de cubrir la línea de costura. En el frente del bolso, hacer una costura sobre costura junto al ribete, asegurándose de coser el ribete por el interior.
3. Para hacer el asa, pegar la tira de guata termoadhesiva de 2½" de ancho en el centro de la tira turquesa oscuro de 4" de ancho. Doblar los lados largos de la tira turquesa oscuro sobre la guata; planchar. Doblar la tira por la mitad a lo largo, revés con revés, y planchar. Hacer unas costuras a ⅛" de ambos bordes.
4. Pasar un extremo del asa por una de las anillas del costado del bolso. Doblar ½" el extremo hacia el revés de la tira. Coserlo en su sitio, empezando y terminando la costura con punto atrás. Repetir con el otro extremo del asa, asegurándose de que el asa no queda retorcida.

Bolso de fin de semana Palm Springs

Cosido y acolchado por Molly Hanson.

TAMAÑO TERMINADO

16" x 13" x 6½"

MATERIALES

Las cantidades son para telas de 42" de ancho.

- 1 tira de 2½" x 42" de *cada una* de 10 telas turquesa lisas para el exterior del bolso
- ¼ de yarda de turquesa oscuro liso para el asa y la presilla
- ¾ de yarda de tela para el forro
- 1 rectángulo de 5" x 8" de *cada una* de 2 telas turquesa coordinadas para la borla

Continúa en la página 82.

Vivo en Palm Springs desde hace diez años y aún me sigue inspirando la belleza que me rodea, tanto la natural como la debida a la mano del hombre. Desde los épicos cielos azules hasta las cimbreantes palmeras, las magníficas montañas abruptas y el desierto, desolado y sereno, todo es muy bello. Me propuse crear un bolso perfecto para un fin de semana en Palm Springs, pero creo que es perfecto para un fin de semana en cualquier lugar. En el bolso caben un par de mudas y unos pares de zapatos. Es tan fácil de hacer que lo puedes terminar en un día. ¡Te lo prometo! Con este proyecto vas a adquirir un montón de práctica, así que remángate y empieza.

Continuación de la página 81.

¾ de yarda de guata termoadhesiva de 22" de ancho para el cuerpo del bolso y el asa

2 anillas en D de 1¼" para el asa

2 anillas de clip de 1¾" x 1¾" para el asa

1 anilla circular de ½" de diámetro para la borla

1 pieza de 5" x 8" de fliselina termoadhesiva

Cremallera de 22" de poliéster a juego con una tela

1 pieza de 4" de elástico de ¼" de ancho

Utilicé algodón Kona, de Robert Kaufman, en los colores siguientes: Cyan, Turquoise, Lagoon, Robin Egg, Aqua, Capri, Breakers, Emerald, Glacier y Everglade. Para el asa y las presillas, utilicé Cyan. Para la borla, un rectángulo de Capri y de Aqua.

Herrajes reciclados

Reciclé las anillas en D y las anillas de clip de un bolso defectuoso que compré en un mercadillo por unos dólares. Recomiendo encarecidamente que se haga esto siempre que se pueda porque se encuentran herrajes mucho más bonitos que los de la sección de complementos para bolsos de las tiendas de manualidades. Entre mi armario, los establecimientos de segunda mano y los departamentos de saldos de los grandes almacenes, he encontrado muchos bolsos que puedo reciclar para recuperar los herrajes y cada uno me ha costado menos de 5 dólares. ¡En ninguna ferretería encuentras unos herrajes por menos de 5 dólares, incluso los más corrientes! Otra buena fuente de herrajes son las asas de las maletas y los cinturones con anillas en D.

CORTAR

De la tela del forro, cortar:
- 2 piezas de 16" x 22"

Del turquesa oscuro liso, cortar:
- 1 tira de 6" x 22"*
- 2 rectángulos de 3" x 6"
- 1 tira de 1½" x 2"

De la guata termoadhesiva, cortar:
- 2 piezas de 20" x 22"
- 1 tira de 4" x 20"*

* *Ver en la página 84 Largo de asa perfecto.*

INSTRUCCIONES PARA EL CUERPO DEL BOLSO

1. Cortar por la mitad las tiras de 2½" de ancho para tener 20 tiras de 2½" x 21". Colocar las tiras en dos montones iguales de diez tiras cada uno. Extender un montón de oscuras a claras y de nuevo a oscuras, como en la fotografía de la página 81. Coser las tiras por los bordes largos para hacer un juego de tiras. Planchar las costuras abiertas. Con el resto de las tiras hacer un segundo juego de tiras.

2. Pegar con la plancha una pieza de guata por el revés de cada conjunto de tiras. Rociar de pegamento un rectángulo de forro y pegarlo sobre el lado de guata del juego de tiras para hacer el frente del bolso. Repetir para hacer el dorso del bolso.

3. Acolchar el frente y el dorso del bolso como se ve en el mapa de acolchado. Habrá que pasar sobre costuras anteriores para acolchar el remolino siguiente.

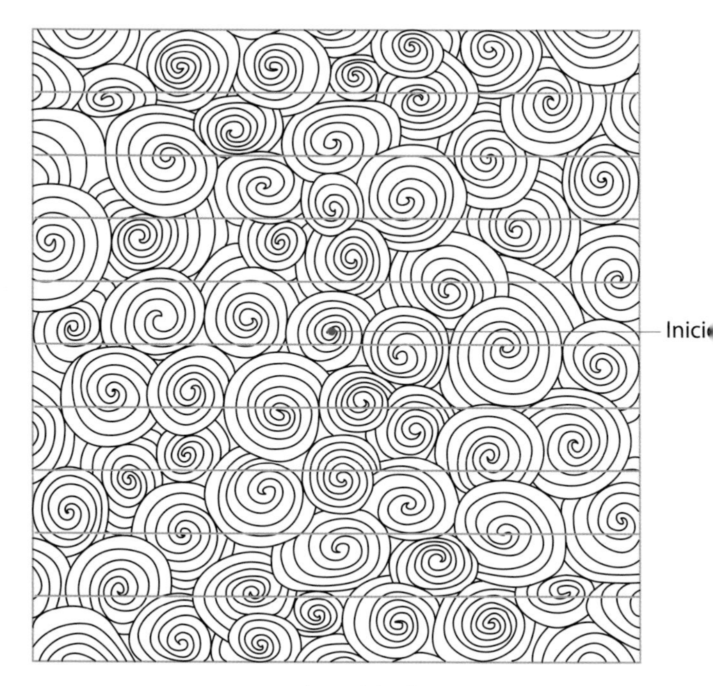

Mapa de acolchado.

4. Recortar el forro a ras de los bordes del frente del bolso. Hacer un zigzag sobre los cantos. Recortar y hacer un zigzag en el dorso del bolso.

5. Consultar Cremalleras, ver página 93, para coser la cremallera en la parte de arriba del frente y del dorso del bolso, asegurándose de casar los laterales del bolso. Planchar y hacer un pespunte a ⅛" del borde de la costura.

6. Abrir la cremallera hasta la mitad. Habrá que volver el bolso del derecho por esa abertura. Con el forro hacia fuera, casar los cantos de los laterales y del fondo y prenderlos en su sitio, asegurándose de casar las intersecciones de las costuras en cada lateral. Reducir el largo de puntada para que quede una costura fuerte y resistente. Empezando con un punto atrás, coser por los bordes laterales y de abajo, terminando con un punto atrás.

7. Para hacer las esquinas a caja, marcar 3" a cada lado de las esquinas inferiores, como en el diagrama. Recortar el cuadrado de cada esquina por las líneas dibujadas.

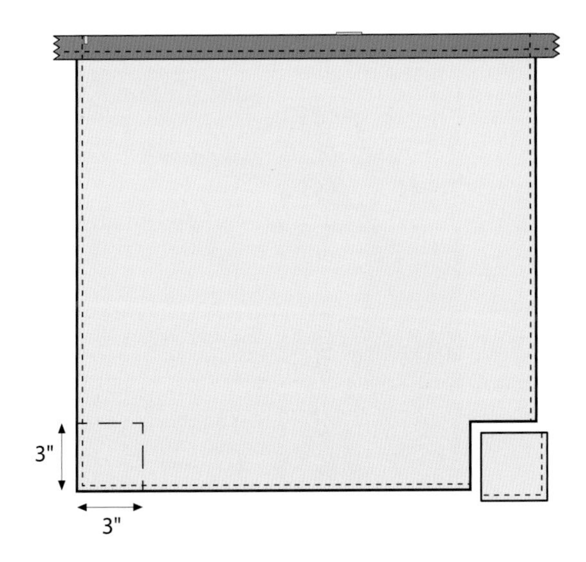

8. En una esquina, superponer la costura del fondo con la costura lateral. Prender los cantos. Reducir el largo de puntada y hacer la costura dejando un margen de costura de ¼". Coser un zigzag sobre los cantos para que no se deshilen. Repetir para realizar a caja la otra esquina.

9. Volver el bolso del derecho, sacando bien las esquinas de arriba y del fondo.

INSTRUCCIONES PARA EL ASA Y LAS PRESILLAS

1. Para hacer una presilla, doblar una tira turquesa oscuro de 3" x 6" por la mitad a lo largo, revés con revés, y planchar. Abrir la tira y doblar los cantos largos hasta el doblez del centro. De nuevo, doblar la tira por la mitad y planchar. Doblar otra vez la tira por la mitad casando los cantos de los extremos para que quede una tira de ¾" x 3". Hacer un pespunte todo alrededor, a ⅛" de los bordes para completar la presilla. Repetir para hacer una segunda presilla.

2. Doblar una presilla por la mitad y pasar por ella una anilla en D. Hacer una costura atravesada en la presilla, lo más cerca posible de la anilla, empezando y terminando con un punto atrás. Repetir con la otra presilla y la otra anilla en D.

3. Poner la cremallera encima de la costura lateral, en una esquina de la parte de arriba del bolso. Separar las alas de una presilla y poner la esquina del bolso entre las alas. Coser la presilla en su sitio; hacerlo despacio. Habrá que girar la rueda a mano para coser todas las capas. Repetir con la otra presilla y la otra esquina de arriba del bolso.

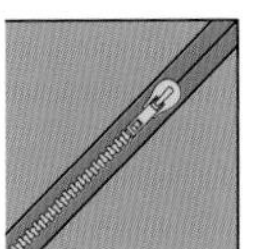

4. Para hacer el asa, pegar la tira de guata termoadhesiva de 4" de ancho en el centro de la tira turquesa oscuro de 6" de ancho. Doblar los bordes largos de la tira turquesa oscuro sobre la guata y planchar. Doblar la tira por la mitad a lo largo, revés con revés, y planchar. Hacer una costura a ⅛" de los bordes doblados. Guiándose por el borde del prensatelas, hacer líneas de costura rectas con una separación de ¼" por el centro del asa.

5. Pasar un extremo del asa por una anilla de clip. Doblar el extremo ½" hacia el revés del asa. Coser en su sitio, empezando y terminando con un punto atrás. Repetir con el otro extremo del asa. Enganchar el asa al bolso.

Largo de asa perfecto

Corté una tira de 4" x 20" de guata termoadhesiva para mi asa. Como soy bajita, no quería que el bolso colgara mucho y me golpeara las piernas. Para determinar el mejor largo de asa, sujeta el bolso contra el cuerpo a la altura en que debería situarse al llevarlo colgado. Pide a alguien que mida desde una esquina de arriba del bolso, pasando por tu hombro, hasta la otra esquina de arriba. Ten en cuenta que el bolso colgará 1" o 2" más cuando esté cargado. Añade 4" y corta la tira de guata a esa medida. Corta la tira de tela 2" más larga que la de guata.

INSTRUCCIONES PARA LA BORLA

1. Aplicar el rectángulo de fliselina termoadhesiva sobre el revés de un rectángulo turquesa de 5" x 8", siguiendo las instrucciones del fabricante. Retirar el papel de protección y pegar el rectángulo sobre el revés del otro rectángulo turquesa de 5" x 8". Dibujar una línea a 2" del borde largo del rectángulo más claro. Será el interior de la borla.

2. Doblar el elástico por la mitad casando los extremos para formar una presilla. Pasar por la presilla la anilla circular de ½". Poner el elástico en la esquina superior izquierda del rectángulo marcado, como se ve en el diagrama del paso 3, página 79. Coserlo en su sitio. Cortar tiras con una separación de ¼", comenzando por abajo del rectángulo y parando en la línea dibujada.

3. Enrollar firmemente el rectángulo, empezando por el extremo de la izquierda y asegurándose de que los flecos queden a la misma altura. Coser la borla enrollada. En un extremo de la tira turquesa oscuro de 1½" x 2", doblar hacia el revés ¼" y planchar. Planchar la tira doblada por la mitad a lo largo, revés con revés. Abrir la tira y doblar los cantos largos hasta el doblez del centro. Empezando por el extremo sin doblar, enrollar la tira doblada en torno a la borla, asegurándose de que el extremo doblado de la tira cubra los cantos. Coser a mano en su sitio el borde doblado de la tira para completar la borla.

4. Enganchar la borla al tirador de la cremallera.

Acolchado personalizado combinando dibujos

Enhorabuena, ya has aprendido todos los dibujos de acolchado de este libro. Esos diseños te han enseñado los fundamentos del acolchado y los motivos de acolchado más empleados y asequibles a principiantes. La diferencia entre acolchar la labor y personalizar el acolchado reside en la buena combinación de dibujos de acolchado. Combinando adecuadamente uno o más motivos de acolchado en un bloque o en un quilt, se realza el patchwork creando distintas texturas. Se añade interés visual a un espacio negativo y el acolchado se puede emplear para destacar un tema del quilt. Por ejemplo, se puede utilizar un acolchado en guijarros para realzar un tema inspirado en el invierno o en las vacaciones y lograr que un fondo blanco parezca nevado. Un buen diseño se consigue con la práctica y a fuerza de pruebas y errores. Dibujar bocetos es fundamental para combinar diseños y dar el máximo realce al acolchado.

En el siguiente proyecto planificarás tus propias combinaciones de diseño en la parte central de cada bloque de un quilt. Para prepararlo, te recomiendo que empieces por dibujar los motivos combinándolos con la mayor creatividad posible. Es una buena oportunidad para demostrar tus dotes y esos bocetos te recordarán tus primeros pasos en el acolchado en movimiento libre. A este proyecto lo llamo Quilt galería de arte porque quiero que consideres cada marco como una oportunidad para exponer una combinación de diseños de la que te sientas orgullosa. En el quilt de muestra puedes ver mi combinación de dibujos. Espero que te sirvan de inspiración y te ofrezcan ideas con las que experimentar. Pero, por favor, dibuja y planifica tu propio quilt original para que adquieras seguridad en la combinación de dibujos y crees tu propio mapa de acolchado.

INSTRUCCIONES

1. Llenar varias páginas del cuaderno con combinaciones de dibujos. Cuando se tengan nueve combinaciones que gusten, practicar dibujándolas de nuevo para ver si hay algo que mejorar. Cuando se esté plenamente satisfecha con los bocetos de cada bloque, se puede pasar a la etapa siguiente.
2. Hacer un cuadrado de prácticas para cada bloque y practicar acolchando los motivos que se hayan planeado. Estos cuadrados de prácticas se pueden guardar y hacer con ellos varios de los proyectos de este libro, como los recipientes para tenerlo todo ordenado, los manteles individuales y el cojín; aprovecharlos muy bien.

Ahora se puede pasar a realizar el quilt. Coserlo será un gran placer con la perspectiva de los dibujos de acolchado en mente.

¡Espera, esto es otra cosa!

Ha llegado el momento de acolchar un quilt de verdad. Te darás cuenta de que desplazar un quilt grande para acolcharlo es muy distinto a acolchar una pieza pequeña; el peso del quilt hace que resulte más difícil moverlo libremente. Acostumbrarse al peso de un quilt grande es todo un reto, pero estos consejos te ayudarán.

Dividir el quilt en cuartos. Acolchar una superficie grande es mucho más manejable si te centras cada vez en una cuarta parte. Empezar en el centro de ese cuadrante y trabajar hacia la esquina exterior, rellenando el cuadrante mientras avanzas. De este modo hay que moverse por una zona manejable del quilt, por grande o pequeña que sea la máquina de coser.

Apilar el quilt alrededor del cuerpo. No enrollar el quilt para meterlo en la base de la máquina, sino "amontonarlo" alrededor del cuerpo, aplastándolo ligeramente, para manipular el área de trabajo. Asegurarse de aplastarlo lo suficiente para que no cuelgue por delante y por detrás de la mesa mientras se cose; el peso del quilt colgando impediría moverlo adecuadamente y además se cansarían los brazos.

No tener prisa, parar y reajustar. Acolchar un quilt grande puede ser fácil y relajante si te paras a ajustar el quilt a tu alrededor para trabajar mejor. Eso significa parar con frecuencia para volver a colocar el quilt y asegurarse de que no cuelga por fuera de la mesa. Si se nota alguna diferencia (como que cuesta más desplazar el quilt), quizá haya que recolocar el quilt.

Asegúrate de estar cómoda, de poder mover el quilt con facilidad y libremente y céntrate en un cuadrante cada vez. ¡Así podrás acolchar fácilmente, incluso quilts grandes!

Quilt galería de arte

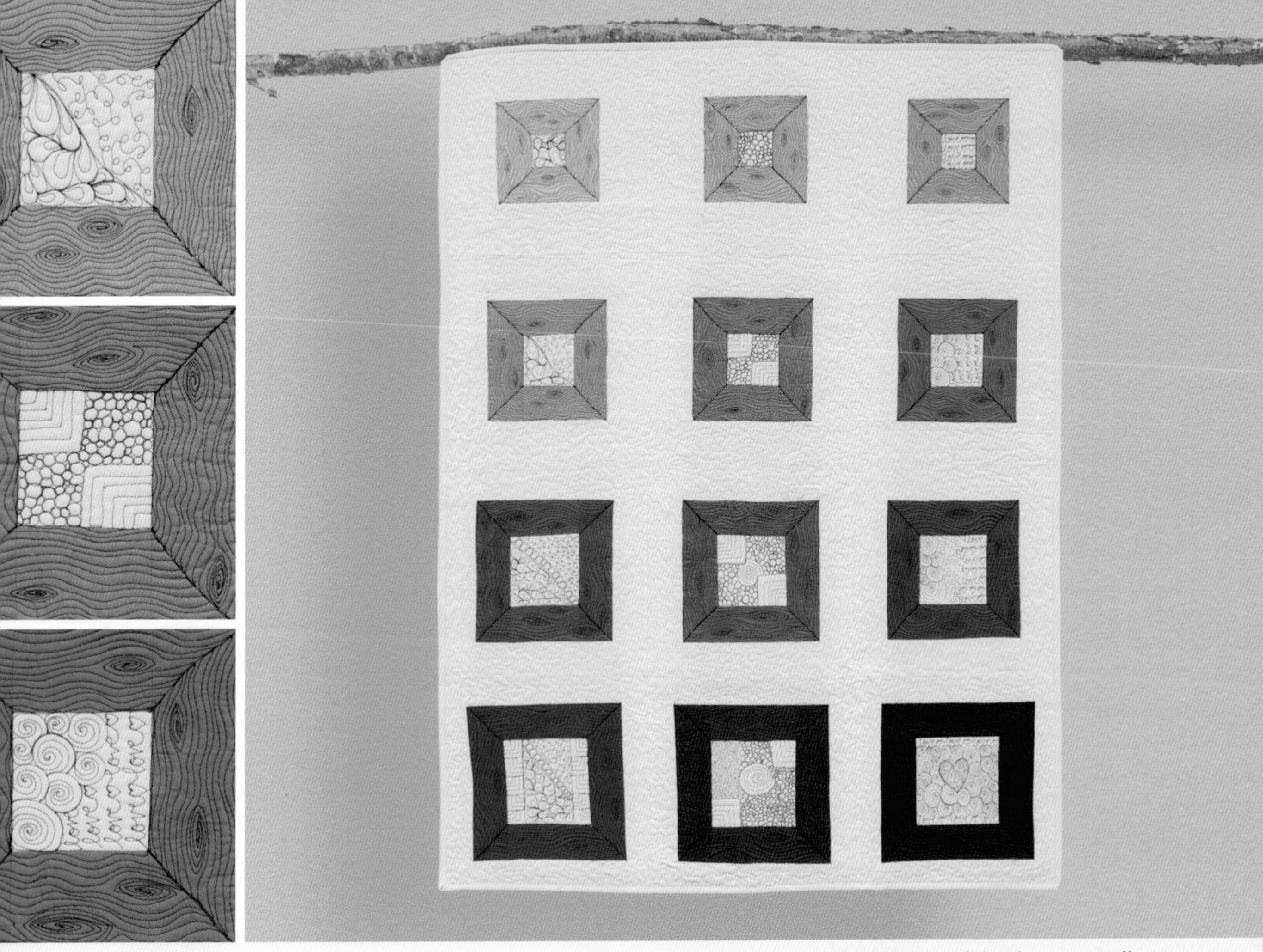

Cosido y acolchado por Molly Hanson.

TAMAÑO TERMINADO

Quilt: 36½" x 48½"
Bloques: 12" x 12"

MATERIALES

Las cantidades son para telas de 42" de ancho. Un Fat Quarter mide 18" x 21".

1⅞ yardas de tela lisa marfil para los bloques y el ribete

12 Fat Quarters o cuadrados de 10" en tonos coordinados de azul liso para los bloques (3 claros, 3 intermedios, 3 semioscuros y 3 oscuros)

1⅜ yardas de tela para la trasera

1 pieza de guata de 38" x 44"

Hilos marfil y azul para acolchar

¿Te sientes ya como una artista en ciernes? ¡Deberías! Has adquirido nuevos conocimientos y tus diseños han mejorado. Has probado toda clase de técnicas para realizar labores prácticas, funcionales y bellas para tu actividad diaria y tu casa. Si aún no te sientes artista, mira otra vez lo que has conseguido. Este quilt está diseñado especialmente para que exhibas tu recién adquirida habilidad acolchando. Es sencillo y rápido de hacer y tiene el tamaño perfecto para empezar. Verás cómo el acolchado puede transformar un diseño tan simple como este. Tus nuevos conocimientos te permiten acolchar cualquier quilt alcanzando el siguiente nivel: ¡el de una obra de arte!

CORTAR

De la tela marfil lisa, cortar:

4 tiras de 3½" x 42"; cortarlas atravesadas en:
 6 rectángulos de 3½" x 12½"
 6 rectángulos de 3½" x 6½"
 3 cuadrados de 3½" x 3½"
4 tiras de 3" x 42"; cortarlas atravesadas en:
 6 rectángulos de 3" x 7½"
 6 rectángulos de 3" x 12½"
9 tiras de 2½" x 42"; cortar *4 tiras* en:
 6 rectángulos de 2½" x 8½"
 6 rectángulos de 2½" x 12½"
 3 cuadrados de 2½" x 2½"
4 tiras de 2" x 42"; cortarlas atravesadas en:
 6 rectángulos de 2" x 9½"
 6 rectángulos de 2" x 12½"
1 tira de 5½" x 42"; cortarla en 3 cuadrados de 5½" x 5½". Cortar el resto de la tira a 4½" de ancho y cortarla en 3 cuadrados de 4½" x 4½".

De *cada una* de las telas azul claro liso, cortar:

2 cuadrados de 2½" x 2½" (6 en total)
2 rectángulos de 2½" x 6½" (6 en total)

De *cada una* de las telas azul intermedio liso, cortar:

2 rectángulos de 2½" x 3½" (6 en total)
2 rectángulos de 2½" x 7½" (6 en total)

De *cada una* de las telas azul semioscuro liso, cortar:

2 rectángulos de 2½" x 4½" (6 en total)
2 rectángulos de 2½" x 8½" (6 en total)

De *cada una* de las telas azul oscuro liso, cortar:

2 rectángulos de 2½" x 5½" (6 en total)
2 rectángulos de 2½" x 9½" (6 en total)

COSER LOS BLOQUES

Mantener todas las piezas ordenadas por telas/tonos iguales.

1. Coser los cuadrados iguales azul claro de 2½" a los dos lados de un cuadrado marfil de 2½". Planchar las costuras abiertas.

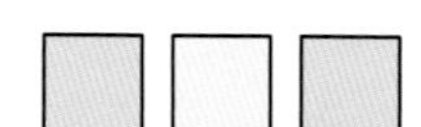
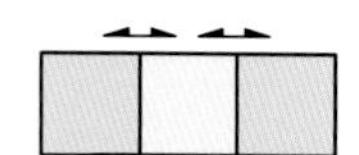

2. Coser los rectángulos coordinados azul claro, de 2½" x 6½", arriba y abajo de la unidad del paso 1. Planchar las costuras abiertas.

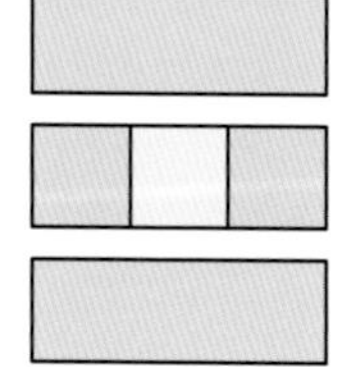
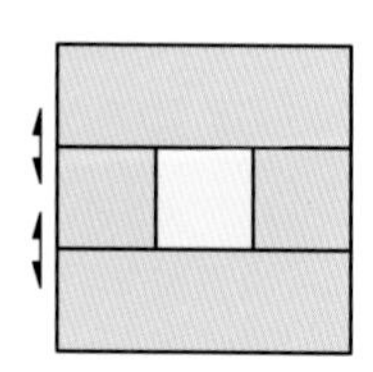

3. Coser unos rectángulos marfil de 3½" x 6½" a lados opuestos de la unidad del paso 2. Planchar las costuras abiertas. Coser unos rectángulos de 3½" x 12½" arriba y abajo de la unidad. Planchar las costuras abiertas. El bloque deberá medir 12½" x 12½".

4. Repetir los pasos 1 a 3 para hacer en total tres bloques azul claro para la fila 1.

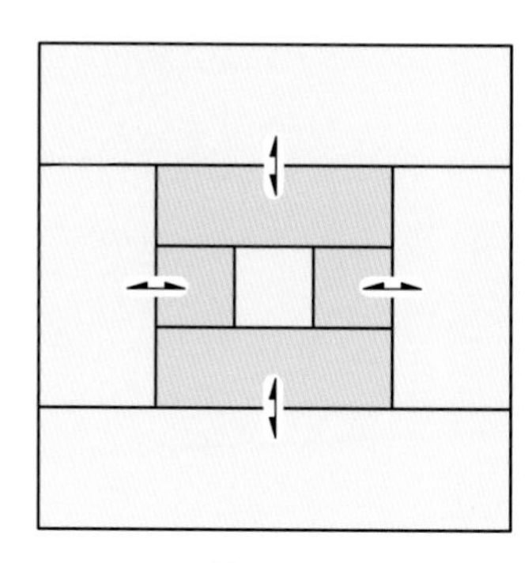

Hacer 3.

5. Coser unos rectángulos azul intermedio de 2½" x 3½" a dos lados opuestos de un cuadrado marfil de 3½". Planchar las costuras abiertas.

6. Coser unos rectángulos azul intermedio de 2½" x 7½" a los otros lados opuestos del cuadrado marfil. Planchar las costuras abiertas.

7. Coser unos rectángulos marfil de 3" x 7½" a dos lados opuestos de la unidad del paso 6. Planchar las costuras abiertas. Coser unos rectángulos marfil de 3" x 12½" a los otros lados de la unidad. Planchar las costuras abiertas.

8. Repetir los pasos 5 a 7 para hacer en total tres bloques de azul intermedio para la fila 2.

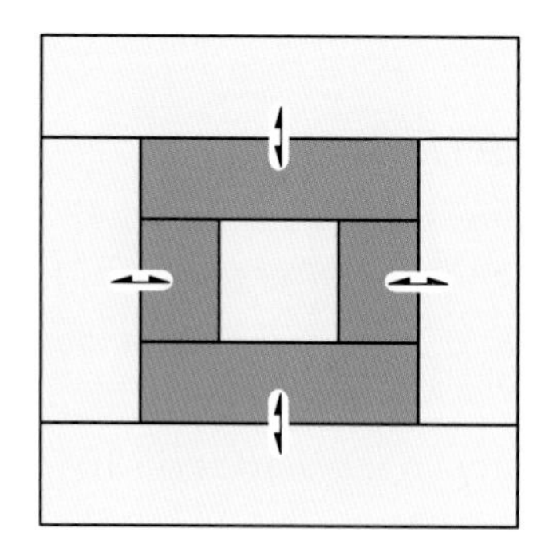

Hacer 3.

9. Repetir el proceso utilizando los cuadrados marfil de 4½", los rectángulos azul semioscuro de 2½" x 4½" y de 2½" x 8½" y los rectángulos marfil de 2½" x 8½" y de 2½" x 12½" para hacer tres bloques de azul semioscuro para la fila 3.

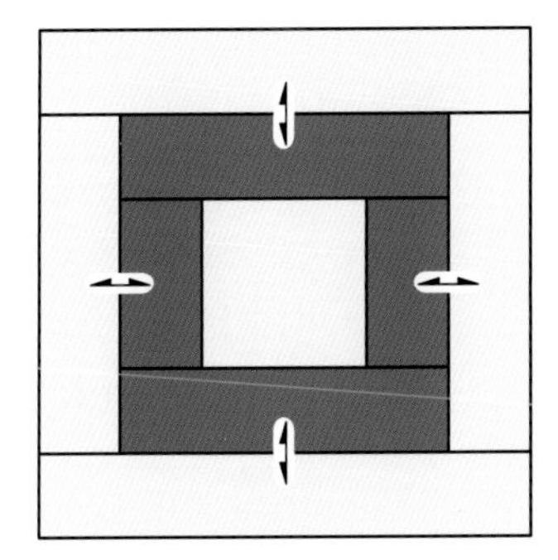

Hacer 3.

10. Repetir el proceso, utilizando los cuadrados marfil de 5½", los rectángulos azul oscuro de 2½" x 5½" y de 2½" x 9½" y los rectángulos marfil de 2" x 9½" y de 2" x 12½" para hacer tres bloques de azul oscuro para la fila 4.

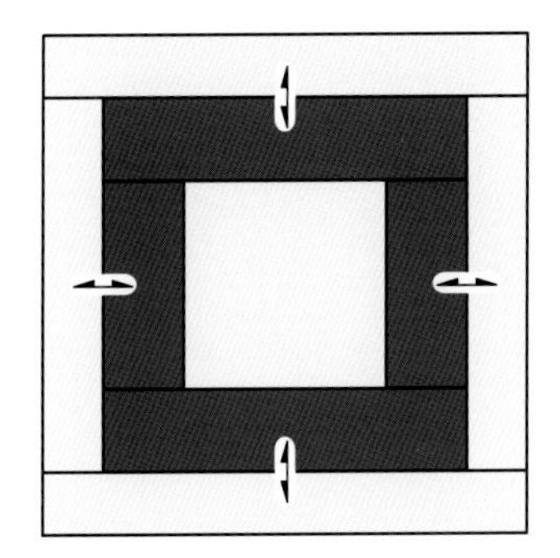

Hacer 3.

MONTAJE Y ACABADO DEL QUILT

1. Colocar los bloques en cuatro filas, con los de color azul claro arriba, los azul intermedio en la segunda fila, los bloques azul semioscuro en la tercera fila y los azul oscuro en la fila de abajo. Coser los bloques por filas. Planchar las costuras abiertas.

2. Coser unas filas con otras. Planchar las costuras abiertas.

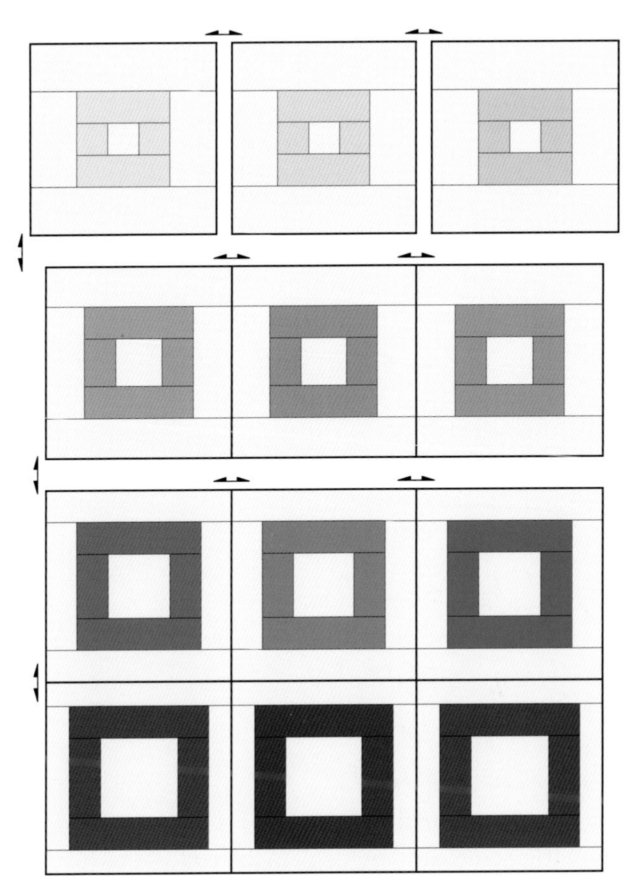

Montaje del quilt.

3. Montar las capas del top con la trasera y la guata; prender para hilvanar las capas. Ver Hilvanado con imperdibles, página 14, si fuera necesario.

4. Siguiendo el mapa de acolchado de cada fila (página 90), acolchar los bloques por el orden siguiente:

   A: coser sobre costuras alrededor de los cuadrados centrales.

   B: rellenar los centros de los bloques con los dibujos elegidos.

   C: hacer una costura de esquina a esquina en los rectángulos azules para imitar una esquina a inglete en el "marco".

   D: coser sobre costura alrededor de los rectángulos azules.

   E: rellenar los rectángulos azules con acolchado de vetas de madera, trabajando de borde a inglete a borde a inglete de cada lado.

F: rellenar los rectángulos marfil con meandros como relleno del fondo.

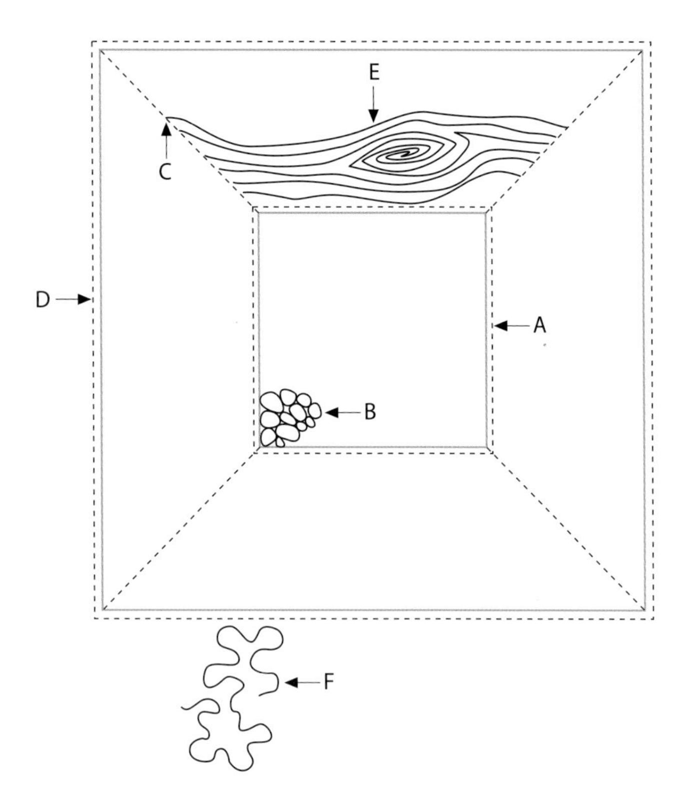

Te animo a que realices tu propio diseño o combinación de dibujos para los cuadrados centrales. Al utilizar un dibujo de vetas de madera en la tela azul, destacas el aspecto de marco, mientras que los meandros del fondo dan cohesión al quilt. En mi quilt he empleado hilo azul oscuro en los bloques centrales y en los marcos y un hilo marfil para fundir los meandros.

Fila 1.
Mapa de acolchado.

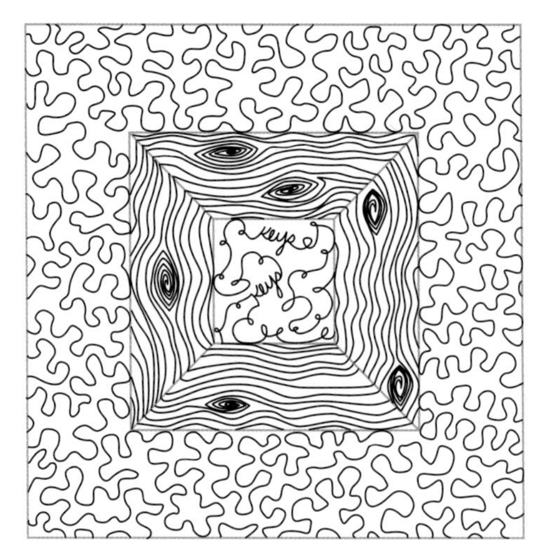

Fila 2.
Mapa de acolchado.

Fila 3.
Mapa de acolchado.

Fila 4.
Mapa de acolchado.

5. Recortar la guata y la trasera a ras de los bordes del top. Ver Ribetear, página 94, para ribetear los bordes con las restantes tiras marfil de 2½" de ancho.

Solucionar problemas

Si se presentan problemas durante el acolchado, puede ser por la tensión del hilo, por culpa del hilo o porque la máquina haga un ruido horroroso; verás que todos tienen un elemento común: ¡el estrés! Personalmente, he experimentado todas las atrocidades de acolchado que se puedan imaginar. He acolchado enormes secciones de un quilt sin darme cuenta de que se había subido la trasera y que no se había cosido en su mayor parte. He acolchado con hilo comprado en el mismo lugar y tiempo y de la misma marca y color y he comprobado que una bobina era estupenda y que la otra no paraba de dar problemas porque se había estropeado y perdido resistencia. Me he cosido el dedo índice clavándome la aguja hasta dentro. ¡Tremendo y doloroso! Te puedo asegurar después de sobrevivir a esto y más, que tirar la toalla nunca ayuda en ninguna circunstancia. Mantener la calma, evaluar tranquilamente el problema y reaccionar debidamente es lo mejor, *siempre* y en *todo lugar*. Así es que relájate. Respira hondo. Date un paseo si lo necesitas y estudia de nuevo el problema con serenidad para ver lo que puedes hacer y tú también sobrevivirás a tus desastres del acolchado y vivirás para contarlos.

TENSIÓN PROBLEMÁTICA

La tensión del hilo se comporta de modo extraño y la hebra queda demasiado floja, forma presillas en las puntadas por el top o la trasera, o se enmaraña en la trasera, o el hilo de la canilla queda demasiado tirante y sobresale por el top.

Volver a enhebrar la máquina. Empezar desde el principio enhebrando de nuevo la máquina y asegurándose de que la hebra pase por los discos de tensión de la máquina.

Cambiar de canilla. Devanar otra canilla si fuera necesario. No utilizar la misma que se estaba usando; probar con otra distinta. A veces las canillas no están bien devanadas y provocan problemas de tensión en la máquina. Probar con una nueva para ver si ese era el problema.

Cambiar la aguja por otra nueva. Al hacerlo, limpiar la máquina de polvo y engrasarla.

Apagar la máquina. Dejarla descansar unas horas o toda una noche. A veces la máquina se recalienta si lleva funcionando mucho tiempo. El acolchado en movimiento libre supone un mayor esfuerzo para la máquina que una costura normal y puede acelerar el problema y afectar a la calidad de las puntadas. Yo no podía utilizar una de mis máquinas más de cuatro horas seguidas porque se comportaba de modo extraño, pero entonces la dejaba hasta el día siguiente y ya no tenía problemas.

Buscar ayuda de un profesional

Si persisten los problemas, llevar la máquina a un profesional para que la examine.
En casi todas las ciudades hay un taller de reparación de máquinas de coser y algunos incluso pertenecen a un fabricante. Pero no importa. Llama y pregunta si pueden reparar tu máquina. Generalmente, esos talleres reparan y revisan todas las marcas aunque solo vendan una o dos marcas. Una máquina que funcione bien es fundamental para acolchar en movimiento libre y por eso es imprescindible un mantenimiento adecuado.

CONSEJOS SOBRE HILOS

El hilo se rompe o se deshila continuamente.

Volver a enhebrar la máquina. Comprobar que el hilo sale de la bobina o del cono como indica el manual. No basta con rectificar parcialmente el enhebrado, hay que empezar desde el principio y asegurarse de que el prensatelas esté levantado, porque si no es así, el hilo no se meterá bien por los discos de tensión.

Cambiar la aguja. Algunas agujas presentan irregularidades que no se notan a simple vista pero que, si están en el lugar menos oportuno, pueden destrozar el hilo. Una aguja nueva terminará con el problema si esa irregularidad era la culpable.

Probar con un nuevo cono o bobina. El hilo se estropea con el tiempo. En ese caso, se rompe y deshila. Las razones por las que se puede estropear el hilo van desde la humedad y el calor hasta la edad del carrete. Además, cuando se compra un hilo, nunca se sabe realmente la edad que tiene o cómo se ha almacenado. Puede llegar a ser frustrante. No he tenido muchos problemas de hilos en malas condiciones, pero cuando me ha ocurrido y me he visto obligada a tirar un cono entero de hilo, siempre me ha dolido. Forma parte de las reglas del juego, supongo. Si se ha descartado todo lo demás, es probable que la culpa sea del hilo. Deséchalo y pon otra bobina.

Unos consejos de costura básicos

En la preparación de este libro, mi objetivo era ofrecer unos proyectos sencillos que no llevaran mucho tiempo, para poder dedicar toda la atención y energía al proceso de acolchado. Pero aunque estos proyectos son rápidos de hacer, enseñan unas técnicas muy importantes: las distintas maneras que he desarrollado con los años y con la práctica del acolchado de utilizar mis cuadrados de prácticas y las muestras de acolchado. Aquí explicaré algunas de esas técnicas para que sirvan de referencia.

CÚTER GIRATORIO

Recomiendo utilizar un cúter giratorio en todos mis proyectos. Desde recortar y cuadrar los quilts antes de ribetearlos, hasta cortar los cuadrados de patchwork; no hay mejor manera de cortar la tela para acolchar. Recomiendo una base de corte lo más grande posible, pero que siga resultando cómoda, una regla acrílica transparente de 24" de largo y una escuadra de 12½".

Colocar la regla larga sobre el borde derecho de la tela, con una línea horizontal de la regla alineada con el doblez y el borde de corte correcto justo por dentro de todas las capas de tela. Cortar por el borde derecho largo de la regla. Desechar los recortes muy finos.

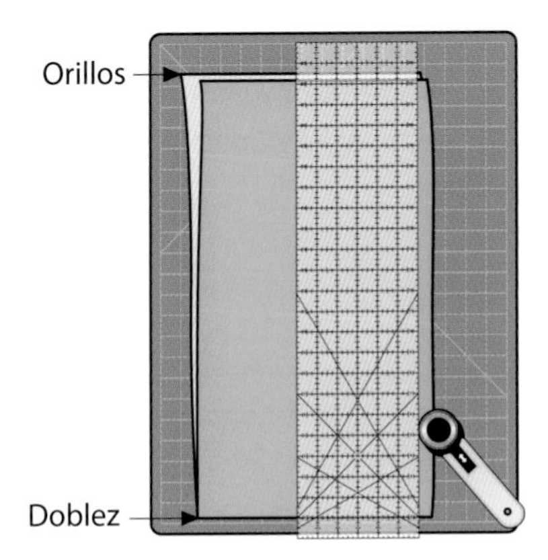

Alinear la marca horizontal de la regla con el doblez. Cortar por el borde de la regla.

Para cortar una tira, poner la regla larga de manera que solape la tela, alineando la marca del ancho deseado con el borde de corte (izquierdo) de la tela.

Por ejemplo, para cortar una tira de 2½" de ancho, situar la línea de 2½" de la regla siguiendo el borde cortado de la tela. (Invertir las instrucciones en el caso de ser zurdo).

Alinear el borde de la tela con la marca de la regla (2½").

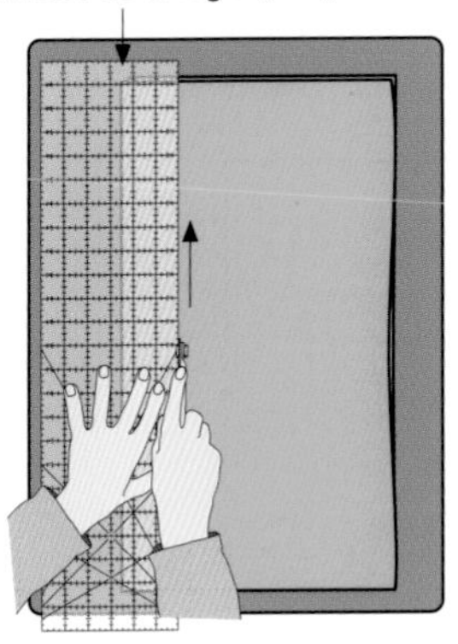

MARGEN DE COSTURA DE UN CUARTO DE PULGADA

En todos los proyectos se utiliza un margen de costura de ¼", de no indicarse otra cosa. Recomiendo usar el prensatelas de ¼" para patchwork para coser con precisión.

CREMALLERAS

En algunos de mis proyectos se utilizan cremalleras. Si nunca has puesto una cremallera, no te preocupes. Si lo haces bien, es fácil ¡y adictivo! Si eres novata con las cremalleras o te has peleado con ellas en el pasado, te recomiendo hilvanarlas a mano o a máquina junto al borde de la costura para que no se mueva mientras la coses: este sencillo paso prácticamente te garantiza el éxito.

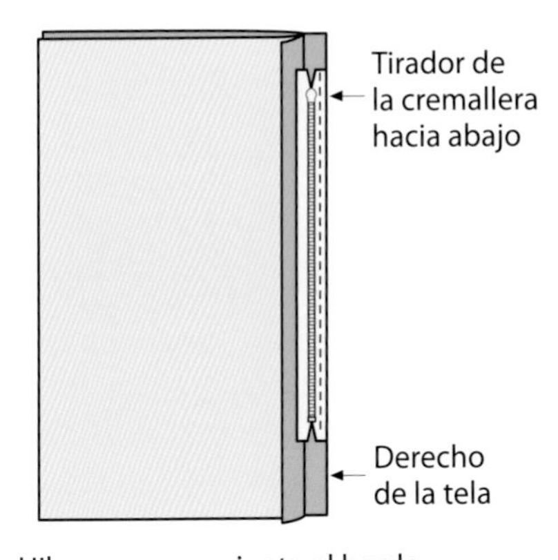

Hilvanar a mano junto al borde.

Para hilvanar a máquina, selecciona un largo de puntada lo más grande posible. Con el prensatelas para cremalleras, haz una costura junto al borde de la cinta de la cremallera (lejos de los dientes). Luego, con cuidado, haz una costura lo más cerca que puedas de los dientes, manteniendo la cremallera alineada al coser. Cuando llegues al tirador, para la máquina con la aguja pinchada en la tela y levanta el prensatelas. Retira el pie del pedal para evitar accidentes y tira suavemente del tirador con el fin de apartarlo y poder seguir cosiendo. Vuelve la cremallera del otro lado, plancha hacia la tela y haz un pespunte a ⅛" de la costura.

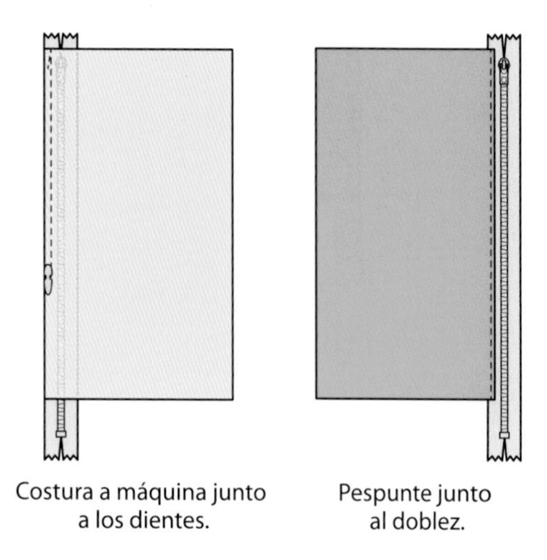

Costura a máquina junto a los dientes.

Pespunte junto al doblez.

RIBETEAR

Rematar un proyecto con un precioso ribeteado es lo que da un aspecto realmente profesional a la labor. Dicho esto, debo admitir que no me gusta nada coser a mano el ribete. Ya sé que es terrible y que me paso semanas acolchando algo para luego coser el ribete deprisa y corriendo. Bueno, estoy segura de no soy la única quilter que tiene demasiada prisa como para ribetear a mano. Si eres como yo y quieres saber cómo ahorrar mucho tiempo, ¡sigue leyendo!

1. Cortar el número de tiras del ancho indicado en el proyecto. Poner las tiras derecho con derecho en ángulo recto, con la tira de debajo exactamente a ¼" del borde de arriba y a ¼" del borde de la derecha de la tira de encima. Prender para sujetar.
2. Coser de esquina a esquina como en el diagrama. Recortar la tela sobrante dejando un margen de costura de ¼". Seguir uniendo tiras de igual manera hasta tener una sola tira larga.

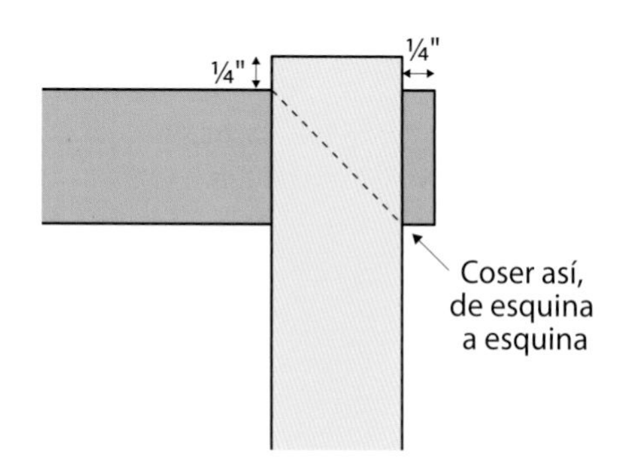

3. Con cuidado, doblar la tira por la mitad a lo largo, revés con revés, y planchar. Trabajar despacio para casar los bordes y que el doblez quede aplastado y bien marcado. Yo enrollo la tira alrededor de un carrete vacío para que no se enmarañe mientras la coso al quilt.
4. Empezando en el centro de un lado y casando los cantos, poner un extremo de la tira de ribetear sobre el derecho del quilt. Dejar un cabo de 8" a 10" y coser el ribete con un margen de costura de ¼". Detener la costura a ¼" de la esquina y dar un par de puntadas hacia atrás. Cortar el hilo y sacar el quilt de la máquina.
5. Girar el quilt para coser el borde siguiente. Doblar el ribete hacia arriba, por fuera del quilt, formando un ángulo de 45°, como en el diagrama. Doblar de nuevo hacia abajo sobre él, casándolo con el canto del quilt. El doblez debe quedar alineado con la esquina del quilt. Empezando en el doblez, coser el ribete sobre el lado siguiente del quilt, igual que antes, deteniendo la costura a ¼" de la esquina. Doblar para cuadrar la esquina y seguir cosiendo cada lado y cuadrando las esquinas al mismo tiempo.

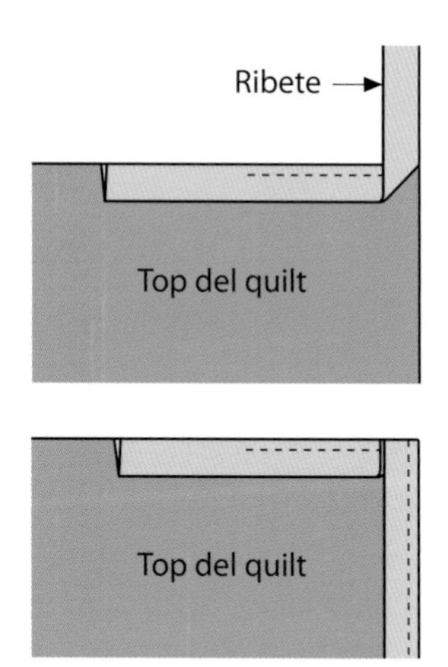

6. Detener la costura a unas 10" del comienzo y sacar el quilt de la máquina. Alisar el borde del quilt y montar los extremos del ribete. Recortar los extremos perpendiculares al borde del quilt, de manera que lo que se solape mida lo mismo que el ancho de las tiras de ribetear. Por ejemplo, si se empezó con unas tiras de 2½" de ancho, los extremos se solapan 2½".

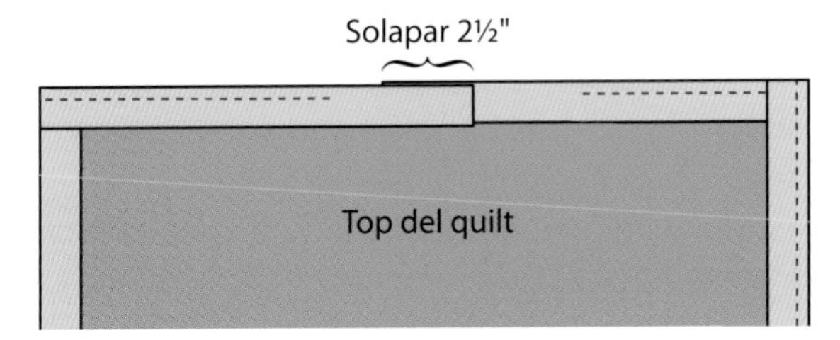

Solapar los extremos del ribete y recortarlos.

7. Desdoblar las tiras del ribete y ponerlas derecho con derecho, solapándolas en ángulo recto, como en el diagrama. Dibujar una línea de esquina a esquina por el revés de una de las tiras y prender antes de coser. Coser por la línea dibujada. Comprobar que el ribete sea de la medida exacta del quilt y recortar la tela sobrante de las tiras, dejando un margen de costura de ¼".

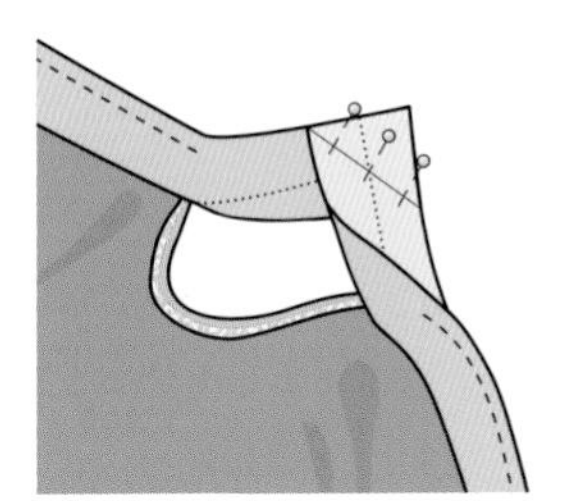

Dibujar una diagonal. Prender juntos los extremos, haciendo coincidir las esquinas.

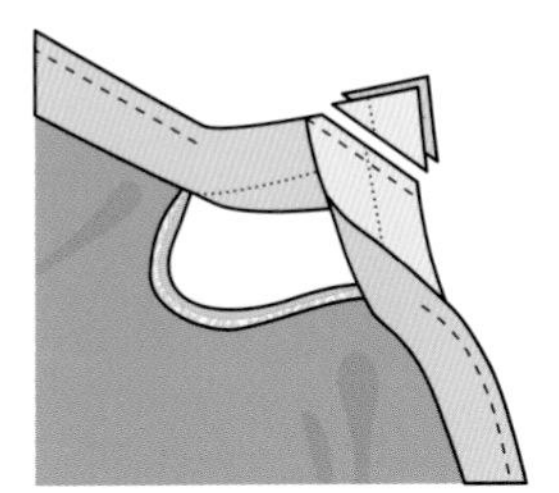

Coser por la línea y recortar el sobrante.

8. En el frente del quilt, planchar el ribete hacia arriba, por fuera del quilt. Volver entonces el ribete por encima de los bordes del quilt, con el borde doblado cubriendo la línea de costura a máquina y volver a planchar. Utilizar unos clips de ribetear para mantener la tira en su sitio. En la máquina de coser, con el derecho del quilt hacia arriba, situar la aguja en la costura que hay entre el quilt y el ribete. Con cuidado y trabajando despacio, hacer una costura sobre costura, parando para retirar los clips antes de llegar a ellos y asegurándose de que por el dorso el ribete quede pillado en la costura. Si para coser el ribete se emplearon tiras de 2½" de ancho y un margen de costura de ¼", habrá suficiente tela para cubrir los bordes hacia el dorso y coser. Si se desea, se puede utilizar un punto decorativo en lugar de coser sobre costura. De ese modo resulta aún más fácil pillar el ribete por el dorso porque los puntos decorativos son más anchos. ¡También añaden un toque especial!

La autora

Desde que Molly Hanson era muy joven, la creatividad la ha acompañado siempre. A lo largo de su vida ha buscado con ilusión cualquier modo de expresar sus ideas. Cuando realizó su primer quilt, Molly halló una salida inmejorable para su creatividad y se ha aferrado a ella. Le entusiasma todo el proceso, especialmente si en él desarrolla sus propios diseños, y es conocida por no tener miedo a emprender aventuras de acolchado. No le asusta cometer errores, ni fracasar. Le encanta probar cosas nuevas.

Cuando Molly probó el acolchado en movimiento libre, empezó a pensar en todas las posibilidades que ofrecía el añadido de ese elemento artístico a sus quilts. Le gusta el control que ha adquirido sobre el proceso artístico al poder acolchar sus propios quilts. Se enganchó oficialmente. Durante un año, Molly pasó cada minuto de su tiempo libre acolchando y dibujando sus propios modelos de acolchado. Tras horas y horas de prácticas vio que había realizado muchos progresos y disfrutó haciendo realidad algunas de las ideas que le rondaban la cabeza.

Desde entonces ha acolchado para clientes, incluyendo fábricas de telas, autoras, bloggers y empresas de diseño. Entre sus otros logros se incluye un modelo presentado en una revista; trabajos mostrados en vídeos y en anuncios de una fábrica de telas; labores acolchadas por ella y publicadas en un libro; y el diseño y acolchado de quilts presentados en importantes exposiciones. Para Molly, lo mejor de todo ha sido escribir este libro. Espera que sirva de inspiración a otras personas que, como ella, quieran acolchar sus propios quilts, controlar todo el proceso y ver cómo se va desarrollando de principio a fin. En SewWrongSewRight.blogspot.com puedes encontrar más detalles sobre sus aventuras de acolchado.

Agradecimientos

Quisiera dar las gracias a Angela Walters y a Karen Burns por ver algo en mí y por ser mis adalides. No sabría deciros cuánto me ha ayudado y animado vuestro apoyo y cariño.

Y gracias a mis lectoras. Espero que os inspire para probar algo nuevo, para tener menos miedo y hacer algo que nunca hayáis hecho antes. Y para que os convirtáis al acolchado en movimiento libre. ¡Gracias por comprar y leer mi libro!